¡ARRIBA!

1

Ana Kolkowska
Libby Mitchell

Adviser: Jacqueline Jenkins

Heinemann

Heinemann Educational
Halley Court, Jordan Hill, Oxford OX2 8EJ
Part of Harcourt Education

Heinemann is the registered trademark of
Harcourt Education Limited

First published 1995

2004
16 15 14 13

A catalogue record is available for this book from the British
library on request.

ISBN 0 435 39011 2

Produced by **Plum Creative**, East Boldre, Hampshire SO42 7WT

Illustrations by Phillip Burrows, Diana Gold, Martin Griffin,
Lynda Knott, Roger Langridge, John Plumb, Elizabeth Sawyer,
Martin Ursell and Andrew Warrington

Cover photograph by **Tony Stone (Worldwide)**

Printed and bound in Spain by Mateu Cromo

Tabla de Materias   página

¡HOLA!

1 **¡Bienvenidos!**

Los Estados Unidos
22.500.000

España
39.700.000

México
93.500.000

Cuba 11.000.000

República Dominicana
7.800.000

Puerto Rico 3.700.000

Guatemala 10.650.000

Honduras 6.000.000

Panamá 2.600.000

El Salvador
5.750.000

Nicaragua
4.550.000

Costa Rica
3.450.000

Venezuela 22.000.000

Guinea
Ecuatorial
400.000

Colombia
35.000.000

Ecuador
11.400.000

Bolivia
7.900.000

Perú
23.600.000

Paraguay
5.000.000

Argentina
34.700.000

Uruguay
3.200.000

Chile
14.300.000

**Las Islas
Filipinas
2.900.000**

El español es el idioma oficial

El español no es el idioma oficial pero aproximadamente 22,5 millones de habitantes de los Estados Unidos son de origen hispánico

El español existe como herencia cultural

2 ¿Qué tal?

1 Escucha la cinta.
(Listen to the tape.)

2a Escucha la cinta y escribe el orden correcto de los dibujos.
(Listen to the tape and write down the correct order for these pictures.)

2b Lee la tira cómica con tu pareja.
(Read the cartoon strip with your partner.)

En Clase

3a Empareja los dibujos con las frases.
(Match the drawings with the phrases.)

a Bien.
b Muy bien.
c Regular.
d Mal.
e Terrible.

3b Pregunta a tu clase.
(Ask your class.)

ejemplo

¡Hola! ¿Qué tal?　　Muy bien, gracias.

4 Busca la frase en este laberinto.
(Find the sentence in this maze.)

En Clase

Mirad la página 5.

Escuchad la cinta.

Sentaos, por favor.

Levantaos, por favor.

¿Cómo te llamas?

1 Escucha la cinta.

¿Cómo te llamas?

Me llamo Javier, ¿y tú?

Me llamo Teresa.

Me llamo Simón García Menéndez. ¿Cómo te llamas tú?

Me llamo Juan Carlos de Santos Romero.

Me llamo Pilar, ¿y tú?

Yo me llamo Bernardo.

2 Pregunta a tu pareja.
(Ask your partner.)

ejemplo

¿Cómo te llamas?

Me llamo ... ¿Y tú?

Me llamo ...

¿Cómo se llama?

Se llama Naomi Campbell.

¿Cómo se llama?

Se llama Linford Christie.

3 Escucha la cinta. Pregunta a tu pareja cómo se llama cada persona.

¿Cómo se llama?

Se llama Garfield.

En Clase

Pasad, por favor.

Mirad la pizarra.

Abrid los libros.

4 Escucha la canción.
(Listen to the song.)

El alfabeto

a b c ch d e f

g h i j k l ll m

n ñ o p q r rr s

t u v w x y z

SOCORRO

a	- ah	n	- eneh
b	- beh	ñ	- enyeh
c	- theh	o	- oh
ch	- cheh	p	- peh
d	- deh	q	- cuh
e	- eh	r	- ere
f	- efeh	rr	- erre
g	- heh	s	- eseh
h	- acheh	t	- teh
i	- ee	u	- uuh
j	- hota	v	- uuveh
k	- kah	w	- uuveh dobleh
l	- eleh	x	- ekis
ll	- elyeh	y	- ee griegah
m	- emeh	z	- theta

5 Imagina que eres una persona famosa.
¿Cómo se escribe tu nombre?
*(Imagine you are a famous person.
How do you spell your name?)*

Ejemplo

¿Cómo se escribe tu nombre?

A-R-N-O-L-D S-

¿Arnold Schwarzenegger?

No, ¡Arnold Smith!

6 ¿Cómo se escribe tu nombre?

F???ERN...??ANDO

7a Mira los dibujos de las personas
famosas en la página 8. Prepara
una entrevista con tu pareja.
*(Look at the drawings of famous people.
Make up an interview with your partner.)*

7b Escribe una entrevista con una
persona famosa.

Hola, ¿cómo te llamas?

Me llamo Arni. ¿Qué tal?

Bien, ¿y tú?

Fenomenal.

¿Cómo se escribe tu nombre?

A-R-N-O-L-D.

En Clase

Escribid en los
cuadernos.

A, B, C ...

Los deberes ...
Página 6.

Repitid:
A, B, C ...

④ Los números

 1 Escucha la cinta.

 2 Escucha la canción.
Uno, dos, tres,
tres, cuatro, cinco,
cinco, seis, siete,
siete, ocho, nueve,
nueve, diez.

 3 Escucha la cinta y suma
los números.
*(Listen to the tape and add
up the numbers.)*

 4 Escucha la cinta.

> Uno, dos, tres ...
> ... cuatro, cinco, ...
> ... seis, siete, ocho, nueve ...
> diez ... Bien, diez segundos.

> Uno, dos, tres, cuatro ...
> cinco, seis, siete ...
> ocho, nueve, diez.
> ¡Fantástico! ¡Siete segundos!

> Uno, dos, tres, cuatro, cinco,
> seis, siete, ocho, nueve, diez...

> ... diez, once, doce, trece, catorce, quince, dieciséis,
> diecisiete, dieciocho, diecinueve, ¡veinte!

 5a Escucha al disc jockey.

5b Escucha al disc jockey
y escribe el número
de los discos.

LOS 30 PRIMEROS DE LA 100

Nº1

NIRVANA
About a girl

SEMANA DEL 19 AL 25 DE NOVIEMBRE

2	EL PATIO	Nacho Cano			
3	OTOÑO	Medina Azahara	17	SLEDGEHAMMER (Live)	Peter Gabriel
4	LET THERE BE LIGHT	Mike Oldfield	18	WHITE LIE	Foreigner
5	ONE DAY	Gary Moore	19	WHAT'S THE FREQUENCY	R E M
6	GET OVER IT	Eagles	20	YOU GOT ME ROCKING	The Rolling Stones
7	I'LL MAKE LOVE TO YOU	Boyz II Men	21	GALLOWS POLE	Jimmy Page & R Plant
8	WHO CAN IT BE NOW	Men at Work	22	GOODNIGHT GIRL 94	Wet Wet Wet
9	FLY ME TO THE MOON	Frank Sinatra / AC Jobim	23	PRACTICE WHAT YOU PREACH	Barry White
10	BLIND MAN	Aerosmith	24	LA VIDA	Mano Negra
11	NO ME MIRES	Los Suaves	25	LIVIN' ON A PRAYER	Bon Jovi
12	COMING DOWN	The Cult	26	SPACE COWBOY	Jamiroquai
13	IF I ONLY KNEW	Tom Jones	27	THE STRANGEST PARTY	INXS
14	SECRET	Madonna	28	YOU GOT A WAY WITH LOVE	Percy Sledge
15	MOTHERLESS CHILD	Eric Clapton	29	HOLD THE LINE	Toto
16	ENDLESS LOVE	Luther Vandross / M Carey	30	HOLD THE LINE	Roberta Flack

6a Escucha la cinta y mira los números.

6b Escucha la cinta. Sigue el juego.

6c Juega el juego con tu pareja.
(Play the game with your partner.)

⑤ ¿Cuántos años tienes?

1 Escucha la cinta.

2 Pregunta a tu pareja. ¿Cuántos años tienes? Tengo 13 años, ¿y tú?

3 Escucha la cinta. ¿Cuántos años tienen los chicos? *(Listen to the tape. How old are the boys?)*

4 Escribe un anuncio para un lugar.

máquinas electrónicas

bar

cine

discoteca

parque de atracciones

jardín

cafetería

café

parque infantil

parque zoológico

Mini test

- Ask someone how he/she is
- Ask somebody his/her name and tell them what you are called
- Spell your name
- Count up to 20
- Ask and say how old you are

En Clase

Señorita, no entiendo.

Señora León, necesito un bolígrafo.

Señor, necesito ir a los servicios.

⑥ ¿Dónde vives?

1 Escucha la cinta y lee las frases. *(Listen to the tape and read the sentences.)*

Ana	David	Luisa	Pablo	Claudia	Daniel
Vivo en Perú.	Vivo en Cuba.	Vivo en Guatemala.	Vivo en España.	Vivo en Argentina.	Vivo en Venezuela.

2 Escucha la cinta y escribe los nombres en el orden en que hablan.
(Write the names in the order in which they speak.)

3 Pregunta a tu pareja.

ejemplo

¿Dónde vives?

Vivo en ...
(Inglaterra, etc.)

G R A M Á T I C A

(Yo) vivo   I live   tengo   I have
(Tú) vives you live   tienes you have

In English, when you talk about yourself or someone else you use words like 'I' and 'you'. In Spanish these sorts of words (yo, tú) are not used very often because it is the verb endings that tell you who is speaking or being spoken about.

4 ¿De qué nacionalidad eres? Escucha la cinta y elige la nacionalidad que oyes.

a escocesa / inglesa / irlandesa
b francesa / jamaicana / inglesa
c irlandés / australiano / inglés

d galés / mitad irlandés y mitad inglés / paquistaní
e inglesa / galesa / polaca
f italiana / española / bengalí

¡Hola! Soy irlandés.

Soy galesa. Vivo en Cardiff.

Vivo en Edimburgo. Soy escocesa.

Vivo en Newcastle. Soy inglesa.

¡Hola! Vivo en Birmingham. Soy inglés.

¡Hola! Vivo en Liverpool. Soy mitad irlandés y mitad inglés.

G R A M Á T I C A

In Spanish, the words you use to describe nationality have two different forms:
masculine to describe a boy and feminine to describe a girl.
There are a few nationalities which are the same for both masculine and feminine.

Soy inglés

Soy inglesa

Nacionalidad **¿De qué nacionalidad eres?**	**País** **¿De dónde eres?**
Soy alemán/alemana	Soy de Alemania
Soy australiano/australiana	Soy de Australia
Soy bengalí	Soy de Bengala
Soy canadiense	Soy de Canadá
Soy escocés/escocesa	Soy de Escocia
Soy español/española	Soy de España
Soy estadounidense	Soy de los Estados Unidos
Soy francés/francesa	Soy de Francia
Soy galés/galesa	Soy de Gales
Soy inglés/inglesa	Soy de Inglaterra
Soy irlandés/irlandesa	Soy de Irlanda
Soy italiano/italiana	Soy de Italia
Soy jamaicano/jamaicana	Soy de Jamaica
Soy japonés/japonesa	Soy de Japón
Soy paquistaní	Soy de Paquistán
Soy polaco/polaca	Soy de Polonia

Merlene Ottey

5 Pregunta a tu pareja.

¿De qué nacionalidad eres?   Soy ... (inglés/inglesa).

Soy de Escocia.

  6 Escucha la cinta y luego trabaja con tu pareja. Haz pequeñas entrevistas con las personas de la lista.

ejemplo

¿Cómo te llamas?   Me llamo Gérard Depardieu.

¿De qué nacionalidad eres?   Soy francés.

Gérard Depardieu	Steffi Graf	Mariah Carey
Ryan Giggs	Luciano Pavarotti	Merlene Ottey
Miguel Induráin	Paul McGrath	Tom Cruise

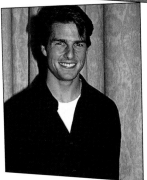

Tom Cruise

7 Tengo amigos de muchas nacionalidades

1 Escucha y lee.

¡Hola! Me llamo Chanelle. Vivo en Birmingham. Soy caribeña. Tengo amigos de muchas nacionalidades.

¡Hola! Me llamo Sinead. Vivo en Birmingham. Soy irlandesa.

Me llamo Kirsty. Vivo en Solihull. Soy inglesa.

Me llamo Aadil. Soy paquistaní. Vivo en Birmingham.

¡Hola! Me llamo Michael. Vivo en Wolverhampton. Soy jamaicano.

¡Hola! ¿Qué tal? Me llamo Paul. Soy mitad inglés y mitad polaco.

2 Preséntate a tu pareja o a la clase.

ejemplo

¡Hola! Me llamo Iain. Vivo en Glasgow. Soy escocés.

3 Prepara un póster.
Saca unas fotos de tus amigos.
Escribe los nombres y las nacionalidades de cada persona en el póster.

4 Corta y pega las fotos de tus personalidades favoritas en el póster.
Escribe las nacionalidades de las personas.

5 Emplea algunas de las palabras del círculo para escribir cinco frases o más.

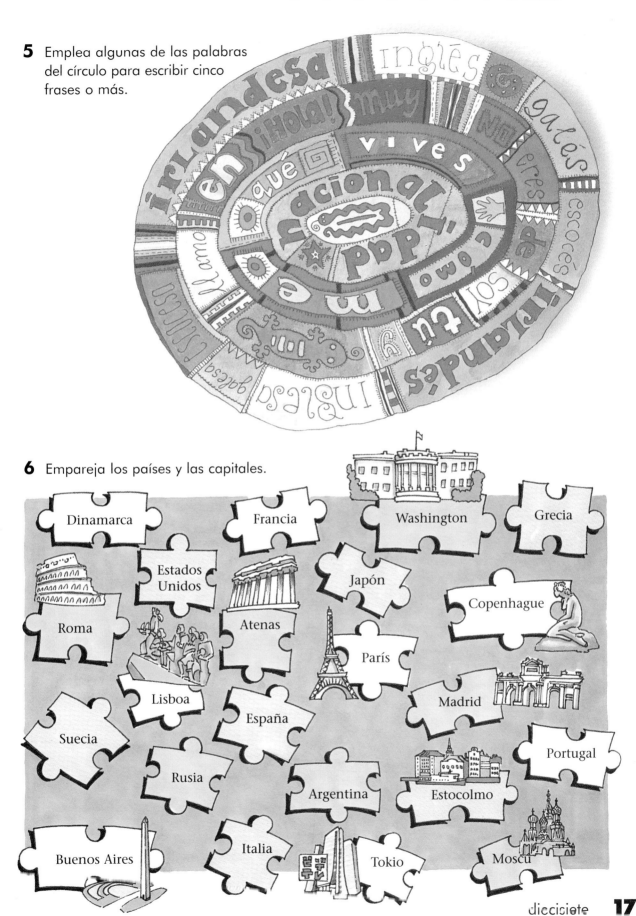

6 Empareja los países y las capitales.

Dinamarca · Francia · Washington · Grecia · Estados Unidos · Japón · Copenhague · Roma · Atenas · París · Lisboa · España · Madrid · Suecia · Rusia · Argentina · Estocolmo · Portugal · Buenos Aires · Italia · Tokio · Moscú

8 Los meses

1 Escribe los meses en el orden correcto.

ejemplo   enero = January, ...

febrero   marzo   diciembre

mayo

enero   agosto

octubre   septiembre   abril

junio

julio   noviembre

2 Ahora escucha los meses en la cinta.

3 Escucha la cinta. ¿Qué fechas oyes?

A ABRIL 22 — Es el veintidós de abril.

B JULIO 31 — Es el treinta y uno de julio.

C MARZO 1 — Es el primero de marzo.

D JUNIO 2 — Es el dos de junio.

E AGOSTO 15 — Es el quince de agosto.

F DICIEMBRE 25 — Es el veinticinco de diciembre.

4 Escribe las fechas.

ejemplo   27/2 = 27 de febrero

a 16/4   b 21/6   c 24/7   d 4/5   e 12/12   f 13/8   g 6/10   h 18/9   i 15/1   j 31/3   k 3/11   l 7/2   m 19/4

5 Ahora lee las fechas a tu pareja.

 6 Escucha la cinta y empareja las fechas con los dibujos.

7 Trabaja con tu pareja.

ejemplo

¿Cuándo es tu cumpleaños?   Mi cumpleaños es el ... de...

 8 Escucha la entrevista y completa la ficha.

Nombre y apellido:
Isabel Muñoz

Edad:

Nacionalidad:

Domicilio:
Sevilla

Cumpleaños:

RESUMEN

Nombre: Angela García.
Edad: 15 años.
Dirección: Calle 5° #15-115
B/Buenos Aires, Girardot
Cundinamarca, COLOMBIA.
Pasatiempos: Ver televisión,
coleccionar afiches y todo lo
relacionado con Luke Perry.

Nombre: Victoria Martínez.
Edad: 24 años.
Dirección: C/Euskalduna,
3-3° Ext. Dcha. 48008,
Bilbao (Vizcaya), ESPAÑA.
Pasatiempos: Mantener
correspondencia con fans
de Marta Sánchez, para
escribirlos al fan club de esta
antante, en España.

ombre: A...

MAYO
G / MAIATZA / MAIO   1995

JUNIO
L M M J V S D
                1 2 3 4
 5 6 7 8 9 10 11
12 13 14 15 16 17 18
19 20 21 22 23 24 25
26 27 28 29 30

20
S D
5 6 7
12 13 14
19 20 21
26 27 28
SEM. 20   140/225
ADO / DISSABTE / LARUNBATA / SABADO

6 ¿Cuál es tu tono?
10 Ejercicios interplanetario
14 Sobrevive al sol

moda
18 Contra lo corriente
22 100% natural
26 Corriendo con la moda

artículos
28 Actívate
34 Querer es poder
62 Test: ¿Qué piensan de ti?
70 ¿Qué estudio? Derecho
72 Le gustas, pero
   no te llama
82 ¿No tienes novio?

extras
74 Envoltura tropical
78 Decoración: Detalles
   que estimulan
86 Turismo: Nueva

personalidades
44 Pearl Jam
48 Aleks Syn...

Now you can:

- say hello   Hola.   Buenos días.   Buenas tardes.   Buenas noches.

- ask people how they are   ¿Qué tal?

- answer a similar question   Fenomenal.   (Muy) bien, gracias, ¿y tú?
  (Muy) mal.   Fatal.   Regular.

- say goodbye   Adiós.   Hasta luego.   Hasta la vista.   Hasta mañana.

- introduce yourself, giving your name   Hola, me llamo Sally.

- ask someone his/her name   ¿Y tú? ¿Cómo te llamas?

- ask/tell someone the name of
  another person   ¿Cómo se llama?   Se llama Julián.

- ask how to spell a word   ¿Cómo se escribe?

- spell words in Spanish   Se escribe H-I-G-G-I-N-S.

- say where you live   Vivo en Londres.

- ask someone where he/she lives   ¿Y tú? ¿Dónde vives?

- say which country you live in   Vivo en Inglaterra.

- say what your nationality is   Soy inglés/inglesa.

- ask what nationality someone is   ¿De qué nacionalidad eres?

- ask where someone is from   ¿De dónde eres?

- say where you are from   Soy de India.

- count from 1 - 50   uno ... cincuenta.

- say how old you are   Tengo doce años.

- ask others their age   ¿Y tú? ¿Cuántos años tienes?

- say the months of the year   enero ... diciembre.

- say when your birthday is   Mi cumpleaños es el quince de noviembre.

- ask others the date of their birthdays   ¿Cuándo es tu cumpleaños?

95/94

3 1 7 8 0
TRES UNO SIETE OCHO CERO
LOTERIA NACIONAL
Décima parte del billete
para el sorteo del día
26 de Noviembre de 1994
LA DIRECTORA GENERAL

12ª
SERIE

10
FRACC

GEMINIS   Mayo 21-Junio 21
¡Cuidado! Contigo nunca se sabe, pues eres impredecible,
y no podemos esperar lo que vas a responder. E...
eso que muchas de tus amistades se han ido...
de ti. Tómate la vida con humor y verás que...
resultan mucho más fáciles y también más a...

CANCER   Junio 22-Julio 22
El muchacho que acaba de mudarse a tu barrio...
tanto te gusta, está a tu alcance. Todo es cuest...
que, poco a poco, vayan conociéndose. Lo demá...
por sí solo. En caso de que él no se sienta atraíd...

¡Feliz Navidad

• • • • • • • • **¡Hola!** • • •

PREPÁRATE

A ESCUCHA

1 Marca los números que oyes en la cinta.

1	2	3	4	5	6	7	8	9	10
11	12	13	14	15	16	17	18	19	20
21	22	23	24	25	26	27	28	29	30
31	32	33	34	35	36	37	38	39	40
41	42	43	44	45	46	47	48	49	50

2 Escribe los nombres.

B HABLA

1 Trabaja con tu pareja.
Contesta las preguntas.

¡Hola! ¿Qué tal?

¿Cómo te llamas?

¿Cuándo es tu cumpleaños?

¿Dónde vives?

¿Cuántos años tienes?

¡Adiós!

¿De qué nacionalidad eres?

¿Cómo se escribe tu nombre?

C LEE

1 Lee las entrevistas y elige las personas correctas.

a - ¡Hola! ¿Qué tal?
- Muy bien, gracias.
- ¿De qué nacionalidad eres?
¿Eres española?
- No, no soy española. Soy de los Estados Unidos.
- ¿Dónde vives?
- Vivo en Nueva York.

Kylie Minogue   Mariah Carey   Keanu Reeves

b - ¡Hola! ¿Qué tal?
- Fenomenal
- ¿De qué nacionalidad eres?
- Soy inglés.
- ¿Dónde vives?
- Vivo en Londres.

Kim Bassinger   André Agassi   Linford Christie

c - ¡Hola! Buenos días.
- Buenos días.
- ¿Eres italiano o español?
- ¡Soy italiano!
- ¿Y dónde vives?
- ¡Vivo en Italia!

Jean-Claude Van Damme   Bon Jovi
Luciano Pavarotti

D ESCRIBE

1 Completa la frase apropiada para cada dibujo.

a Adiós,
hasta ....

b Me ....
Juan.

c ....
13 años.

d .... días.

2 Completa la ficha con tus datos personales.

Nombre: . . . .
Apellido: . . . .
Edad: . . . .
Cumpleaños: . . . .
Nacionalidad: . . . .
País: . . . .

1 ¿Cómo vas al colegio?

A veces voy a pie.

A

Voy en autobús.

B

A veces voy en tren.

C

Voy en bicicleta.

D

Voy en coche.

E

F

G

Voy en metro.

Voy en moto.

---

1 Escucha la cinta. ¿Quién habla? Escribe el orden de las personas que hablan.
(Listen to the tape. Who is speaking? Write down the order of the people speaking.)

17 **2** Trabaja con tu pareja.

ejemplo

¿Cómo vas al colegio?

Voy en coche/a pie/en autobús...

¿Cómo vas al instituto?	
Voy A veces voy	a pie. en autobús. en coche. en tren. en bicicleta. en moto. en metro.

3 Escribe una frase para cada foto.
(Write a sentence for each photo.)

ejemplo

Voy ...

B

A

E

C

D

4 Escucha la cinta y mira las fotos. Elige el medio de transporte correcto.

A 1 Voy a pie.
  2 Voy a caballo.
  3 Voy en bicicleta.

B 1 Voy en avión.
  2 Voy en helicóptero.
  3 Voy en astronave.

C 1 Voy en coche.
  2 Voy en taxi.
  3 Voy en barco.

5 Trabaja con tu pareja. Mira las fotos en la actividad 4 y pregunta ...

ejemplo

¿Va a pie o a caballo?

Va a caballo.

G R A M Á T I C A

ir – to go

voy – I go
vas – you go
va – he/she/it goes

¿Qué te gusta estudiar?

1 Escucha la cinta. ¿Qué asignaturas conoces?
(Listen to the tape. Which subjects do you recognize?)

¿Te gusta la informática?

¿Te gusta la educación física?

Sí, me gusta la educación física.

Sí, me gusta mucho la informática y el comercio.

¿Te gusta la historia?

¿Te gusta el dibujo?

Sí, me gusta el dibujo.

No me gusta la historia. Me gustan las ciencias y las matemáticas.

¿Te gustan las matemáticas?

¿Te gustan el español y el inglés?

No me gustan nada las matemáticas. Me gusta la música.

No me gustan ni el español ni el inglés. Me gustan mucho el francés y la historia.

Cristóbal, te gusta la historia?

A mí me gustan todas las asignaturas: las ciencias, los trabajos manuales, el español, la religión, las matemáticas ... todas las asignaturas.

Sí, me gustan la historia y la geografía. ¿Y a ti, Fernando? ¿Qué asignaturas te gustan?

2a Escucha la cinta. ¿De qué asignaturas hablan estos jóvenes?
(Listen to the tape. Which subjects are these young people talking about?)

 Carmencita

 Francisco

 Esperanza

A el español

B el diseño y la tecnología

C el comercio

D la sociología

E el dibujo

F la informática

G las ciencias

H las matemáticas

I la educación física

J el inglés

K la música

L el francés

M la historia

N la geografía

O los trabajos manuales

P la religión

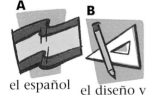

2b ¿Qué asignaturas te gustan?
Escribe cuáles son tus asignaturas favoritas.

> A mí me gustan el español y la geografía y me gusta mucho el dibujo.

 2c Escucha la cinta otra vez. ¿Qué opinan estos estudiantes de sus asignaturas?

20 **3** Pregunta a tu pareja.

ejemplo

¿Qué asignaturas te gustan?

Me gusta mucho el español.

Me gustan las ciencias y las matemáticas.

¿Qué asignaturas no te gustan?

No me gustan nada la educación física ni la música.

No me gusta la informática.

4 ¿Qué opina tu pareja de sus asignaturas?
(What does your partner think about his/her subjects?)

ejemplo

¿Te gustan las matemáticas? Sí. ¿Te gusta el dibujo? No.

¿Por qué? Porque son interesantes. ¿Por qué? Porque es difícil y aburrido.

SOCORRO

me gusta(n) - *I like*
no me gusta(n) - *I don't like*
mucho - *a lot*
nada - *at all*
es - *is*
son - *are*

interesante - *interesting*
aburrido/aburrida/aburridos/aburridas - *boring*
útil/útiles - *useful*
fácil/fáciles - *easy*
difícil/difíciles - *difficult*
pero - *but*
¿por qué? - *why?*
porque - *because*

G R A M Á T I C A

Me gusta el español.

Me gustan las ciencias.

¿Te gusta la informática?

¿Te gustan las matemáticas?

3 ¿A qué hora tienes la clase?

1 Escucha la cinta. ¿Qué asignaturas tiene Mateo el viernes?

ejemplo

> ¿Qué asignaturas tienes el lunes, Mateo?

> Tengo inglés, matemáticas, dibujo, educación física y ciencias.

HORARIO   NOMBRE: Mateo Muñoz

	LUNES	MARTES	MIÉRCOLES	JUEVES	VIERNES	Sábado	Domingo
9.00 – 10.10	inglés	tecnología	ciencias	educación física	....	*El fin de semana no tengo clase.*	
10.10 – 10.40			RECREO				
10.40 – 11.50	matemáticas	informática	inglés	tecnología	....		
11.50 – 1.00	dibujo	religión	historia	teatro	....		
1.00 – 3.00			COMIDA				
3.00 – 4.10	educación física	matemáticas	dibujo	informática	-----------------		
4.10 – 4.20			RECREO				
4.20 – 5.30	ciencias	geografía	español	historia	-----------------		

2 Pregunta a tu pareja.

ejemplo

> ¿Qué asignaturas tienes el lunes?

> Tengo inglés, español, ciencias y geografía.

3 Escucha la cinta. ¿Qué hora es?
(Listen to the tape. What time is it?)

Son las tres y media.

Son las nueve menos cuarto.

Son las cinco menos cuarto.

Es la una.

Son las dos.

Son las siete y diez.

Son las cinco y cuarto.

Son las cuatro menos veinticinco.

Es la una menos cinco.

4 Pregunta a tu pareja.

ejemplo

> ¿Qué hora es?

> Son las dos y media.

5 Escucha la cinta.

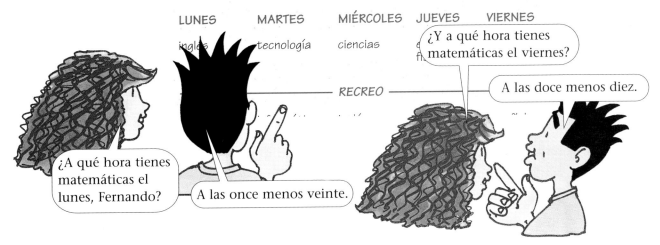

HORARIO   NOMBRE: Fernando Fernandez

LUNES	MARTES	MIÉRCOLES	JUEVES	VIERNES
inglés	tecnología	ciencias		

—— RECREO ——

¿Y a qué hora tienes matemáticas el viernes?

A las doce menos diez.

¿A qué hora tienes matemáticas el lunes, Fernando?

A las once menos veinte.

6 Escucha la cinta.
¿A qué hora tienen Pili y Andrés las diferentes asignaturas?

7 Pregunta a tu pareja.

ejemplo

¿A qué hora tienes español el lunes?

A las diez.

¿Qué asignatura tienes el martes a las dos?

Tengo matemáticas.

¿Y la comida?

A la una.

8 Escucha la canción.

Ciencias, las ciencias,
A las once, a las once,
El lunes.
¡Qué fáciles! ¡Qué fáciles!
¡Qué fáciles que son los exámenes!

Dibujo, el dibujo,
A las diez, a las diez,
El martes.
¡Qué aburrido es! ¡Tan aburrido es!
No me gustan los artistas ni las artes.

Matemáticas, las matemáticas,
A las tres, a las tres,
El miércoles.
¡Qué difíciles! ¡Qué difíciles!
No me gustan, no me gustan los deberes!

Informática, la informática,
A las dos, a las dos,
El jueves.
¡Qué útil es! ¡Qué útil es!
¡Qué útil es jugar con las llaves!

Español, el español
A las tres, a las tres,
El viernes.
¡Estupendo es, estupendo es!
Estupendo es hablar con la señorita Inés.

4 En clase

1 Escucha la cinta y escribe los números de las cosas mencionadas.
(Listen to the tape and write down the numbers of the items mentioned.)

8 la pizarra

1a la profesora

9 el bolígrafo

7 la ventana

6 la puerta

16 la mochila

1b el profesor

11 el cuaderno

18 el papel

17 la papelera

3 la alumna

12 el libro

15 la bolsa

14 la goma de borrar

10 el lápiz

2 el alumno

13 la regla

5 el pupitre

4 la silla

2 Escucha la cinta. ¿Qué es lo que no tiene cada alumno?
(Listen to the tape. What is each pupil missing?)
Escribe el número de la cosa que no tiene.

Lisa Tomás Alicia Carlos

3 Trabaja con tu pareja. Primero, escribe una lista de cuatro
cosas que tienes. Luego pregunta a tu pareja qué tiene.
*(Work with your partner. First, write a list of four things that you have.
Then ask what your partner has.)*

ejemplo

¿Tienes un bolígrafo?

¿Tienes un lápiz?

Sí, tengo un bolígrafo.

No, no tengo lápiz.

4 Escucha la cinta y mira los dos dibujos.

Elige dibujo A o B para cada frase.

1 Hay una profesora.	**5** Hay tres alumnas.	**9** Hay sillas.
2 Hay un profesor.	**6** Hay dos ventanas.	**10** Hay cuadernos.
3 No hay pizarra.	**7** Hay bolígrafos.	**11** Hay libros.
4 Hay seis alumnos.	**8** Hay lápices.	**12** Hay gomas.

5 ¿Qué hay en las fotos?   ¿Es una regla?   Sí, es una regla.

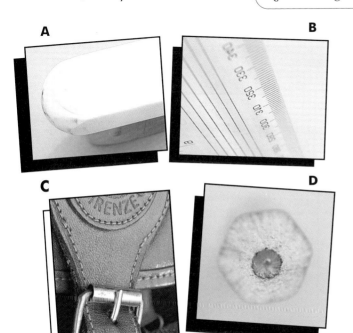

A

B

C

D

Mini test

- Say how you get to school
- Ask how your friend gets to school
- Say what subjects you like and why
- Ask what subjects your friend likes
- Ask what subjects your friend has on any particular day of the week
- Say at what time you have certain subjects
- Ask if your friend has: a book, a biro, a ruler, a pencil
- Say whether or not you have: a biro, a ruler, a pencil

⑤ La clase de miedo

1 Escucha la cinta. Escribe en orden las letras de las personas que hablan.

2 Escucha la cinta otra vez y completa
las frases con las palabras apropiadas.

Mateo necesita	papel
Cristina no	un libro
David quiere	ir a los servicios
Pablo no tiene	entiende

GRAMÁTICA

In Spanish you can address a person in
two ways.
When you talk to a friend you say:
¿Tienes un libro?
This is called the **tú** form.

When you talk to a teacher you use the
polite form.
¿Tiene un libro?
This is called the **usted** form which is
often abbreviated to **U**d. or **V**d.

3 Elige la frase apropiada para cada dibujo.

A 1 He terminado.
 2 Perdón, señorita, no tengo pupitre.
 3 Necesito una silla.

B 1 No tengo lápiz.
 2 No tengo regla.
 3 Quiero ir a los servicios.

C 1 ¿Qué hago ahora?
 2 ¿Cómo se dice 'papel'?
 3 Necesito ir a los servicios.

D 1 Necesito una regla.
 2 ¿Tiene un libro, por favor?
 3 No tengo papel.

E 1 ¿Tiene un libro?
 2 No entiendo. ¿Puede repetir, por favor?
 3 Préstame tu bolígrafo.

F 1 Necesito ayuda.
 2 Préstame tu bolígrafo.
 3 Perdón, señorita, he terminado.

4 Escribe una frase apropiada para este dibujo.

¿Qué pasa con Felipe?

 1 Escucha la cinta.

7 ¿Cómo es tu instituto?

¡Hola! Me llamo Priscilla Rojas. Tengo 15 años. Vivo en Costa Rica en Centroamérica. Mi instituto se llama el Liceo Laboratorio. Es mixto, hay alumnos y alumnas ...

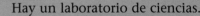

Hay un laboratorio de ciencias.

Hay aulas.

Hay una biblioteca con muchos libros.

Hay canchas de fútbol, de baloncesto y de voleibol.

30

1 Escucha la entrevista con Priscilla Rojas y mira las fotos.
Luego marca las casillas apropiadas.

2 Trabaja con tu pareja.

ejemplo

¿Cómo se llama tu instituto/colegio?

Mi instituto/ colegio se llama ...

¿Es femenino, masculino o mixto?

Es ...

¿Hay uniforme?

Sí, hay .../No, no hay ...

¿Qué hay en tu instituto/colegio?

Hay ...

SOCORRO

El sistema escolar en España

De los 6 años a los 12 años
La educación primaria

De los 12 años a los 16 años
La educación secundaria obligatoria

30

3 Escucha la entrevista con Elena y elige las respuestas correctas.

¡Hola! Me llamo Elena. Soy venezolana. Vivo en Caracas en Sudamérica.

Voy a un instituto de secundaria.

A ¿Dónde vives?

B ¿Cuántos años tienes?

C ¿Es mixto, masculino o femenino tu instituto?

1 Vivo en Caracas.
2 Vivo en Buenos Aires.
3 Vivo en Madrid.

1 Tengo 15 años.
2 Tengo 14 años.
3 Tengo 13 años.

1 Es mixto.
2 Es femenino.
3 Es masculino.

D ¿En tu instituto hay uniforme?

E ¿Cómo vas al instituto?

F ¿A qué hora llegas?

1 Sí, hay uniforme.
2 No, no hay uniforme.

1 Voy en autobús.
2 Voy a pie.
3 Voy en coche.

1 Llego a las nueve.
2 Llego a las ocho.
3 Llego a las ocho y media.

4 Dibuja un plano de tu instituto.

5 Elige las frases que corresponden a tu instituto.

Es	mixto. femenino. masculino. de secundaria	Hay/No hay	uniforme. una sala de gimnasia. una biblioteca. laboratorios. canchas/campos de fútbol. aulas.

6 ¿Cuántas frases puedes escribir sobre tu instituto usando 'Hay/No hay ...'?
(How many sentences can you write about your school using 'Hay/No hay ...'?)

RESUMEN

Now you can:

- say how you get to school   Voy a pie. Voy en autobús.

- ask others how they get to school   ¿Cómo vas al colegio?

- ask others what they think of their subjects   ¿Te gusta la educación física?

- say what you think of your subjects and why   Me gusta la informática.
  Es interesante.

- say what subjects you have on which days and at what time   Los lunes tengo
  geografía a las nueve y cuarto.

- ask and say what time it is   ¿Qué hora es? Es la una. Son las dos.

- ask others what subjects they have on different days   ¿Qué asignaturas tienes
  el martes?

- ask at what time others have different subjects   ¿A qué hora tienes dibujo?

- ask to borrow an item from your friend   Préstame tu bolígrafo, por favor.

- ask to borrow an item from your teacher   Perdón, señorita, ¿tiene un libro?

- ask for help   ¿Cómo se dice 'exercise book' en español?

- name the items and furniture in your classroom   En mi clase hay una
  pizarra, una mesa, unas ventanas y una papelera.

- say what your school is like   Mi colegio es pequeño. Es mixto.

- ask others what their school is like   ¿Cómo es tu colegio? ¿Es grande?

INFORMACIÓN DEL METRO

ferrocarril metropolitano de Madrid
enta con 10 líneas en funcionamiento,
l ramal Opera-Norte, con una longitud de
orrespondiente a 123 estaciones.

de servicio al público es de 6:00 h de la
1:30 h de la madrugada, durante todos los
ño, sean laborables o festivos y para todas
ones, excepto Ciudad Universitaria, cuyo
sta restringido a los días lectivos.

dos tipos de billetes, además del Abono
tes:
llete sencillo de utilización para un viaje, de
io 125 PTA.
illete para diez viajes o bonometro, cuyo
cio es de 600 PTA.
s billetes se adquieren en el vestíbulo de
a las estaciones de la red de Metro, bien en
lla o en las máquinas expendedoras.

ABONO ∷∷∷ TRANSPORTES

ilización ilimitada durante un mes en todas las
s de autobuses, la red ferroviaria de cercanías y
d de metro dentro de la zona de validez. Las
s del Abono Transportes mensual para 1994 son:

ONO	A	B1	B2	B1-B2	B3	C1	C2
MAL	3.750	4.350	4.950	3.150	5.550	6.150	6.800
EN	.600	2.950	3.350	2.200	3.800	4.150	4.550
DAD				1.200			

LEYENDA

1	Plaza de Castilla-M. Hernández
2	Ventas-Cuatro Caminos
3	Legazpi-Moncloa
4	Esperanza-Argüelles
5	Canillejas-Aluche
6	Laguna-Ciudad Universitaria
7	Las Musas-Avda. de América
8	Fuencarral-Avda. de América
9	Pavones-Herrera Oria
10	Aluche-Alonso Martínez
R	Opera-Norte

Estación de Cercanías
Autobús Interurbano
Estación Renfe
Autobús Aeropuerto Barajas
Línea 6 en construcción
Centros comerciales
de Galerías Preciados

1000   2000 m
Escala 1:60 000

PREPÁRATE

A ESCUCHA

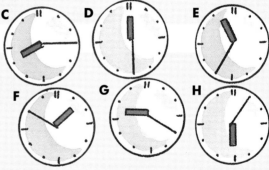

1 ¿Qué hora es?
Empareja las
horas de los
relojes con las
horas que oyes
en la cinta.

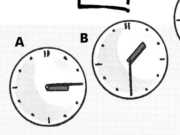

2 ¿Qué asignaturas les gustan a estos jóvenes?

Miguel   Nicolás   Esperanza   Pilar   Montse   Andrés

B HABLA

Trabaja con tu pareja.

1 Empareja las frases.

1 ¿Cómo es tu colegio?
2 ¿Cómo vas al colegio?
3 ¿Qué asignaturas tienes el lunes?
4 ¿A qué hora tienes el recreo?
5 ¿Te gusta el español?
6 ¿Te gustan las matemáticas?
7 ¿Qué hay en tu clase?

a Tengo ciencias, dibujo y educación física.
b Hay una pizarra, una mesa, sillas ...
c A las diez y media.
d No, son difíciles.
e Sí, me gusta mucho, es fácil.
f Es mixto.
g Voy a pie.

2 Contesta las mismas preguntas.

C LEE

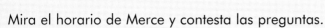

1 Mira el horario de Merce y contesta las preguntas.

1 ¿A qué hora tiene Merce la clase de inglés el lunes?
2 ¿A qué hora tiene la clase de ciencias el lunes?
3 ¿A qué hora es el recreo?
4 ¿A qué hora es la comida?
5 ¿Qué clase tiene Merce el lunes a las tres?
6 ¿Qué asignaturas tiene Merce el lunes que tienes tú también?
7 ¿Qué asignaturas tiene Merce el lunes que tú no tienes?
8 ¿A qué hora termina el instituto para Merce?

	HORARIO	N	
	LUNES	MARTES	MIÉRCO
9·00 – 10·10	inglés	tecnología	ciencias
10·10 – 10·40			RECREO
10·40 – 11·50	matemáticas	informática	inglés
11·50 – 1·00	dibujo	religión	historia
1·00 – 3·00			COMIDA
3·00 – 4·10	educación física	matemáticas	dibujo
4·10 – 4·20			RECRE
4·20 – 5·30	ciencias	geografía	español

D ESCRIBE

1 Dibuja tu horario.

HORARIO		NOMBRE: Fernando Fernandez		
UNES	MARTES	MIÉRCOLES	JUEVES	VIERN
glés	tecnología	ciencias	educación física	geog
		RECREO		
máticas	informá			

El álbum de fotos

1a Mira el árbol familiar de la Familia Real española.
(Look at the family tree of the Spanish Royal Family.)

Reina Victoria

Rey Alfonso XIII ✛ **Reina Victoria Eugenia**

Don Juan de Borbón y Battenberg ✛ **Doña María de Las Mercedes y de Borbón y Orleóns**

Juan Carlos ✛ **Sofía**

Elena   Cristina   Felipe

1b Escucha la cinta. ¿Quién habla?

¿Cómo se llaman tus padres?

Mis padres se llaman Juan Carlos y Sofía.

¿Tienes hermanos o hermanas?

Sí, tengo un hermano mayor. Se llama Felipe. Tengo una hermana mayor que se llama Elena. No tengo hermanas menores.

¿Tienes abuelos?

¿Tienes tíos?

No tengo tíos españoles, mi padre no tiene hermanos. Es hijo único.

Ésta es una foto de mis abuelos en 1906. Y ésta es una foto de mi tatarabuela.

¿Quién es ésta?

Ésta soy yo. Me llamo Cristina. Soy Infanta de España.

Es un primo inglés.

¿Y quién es éste?

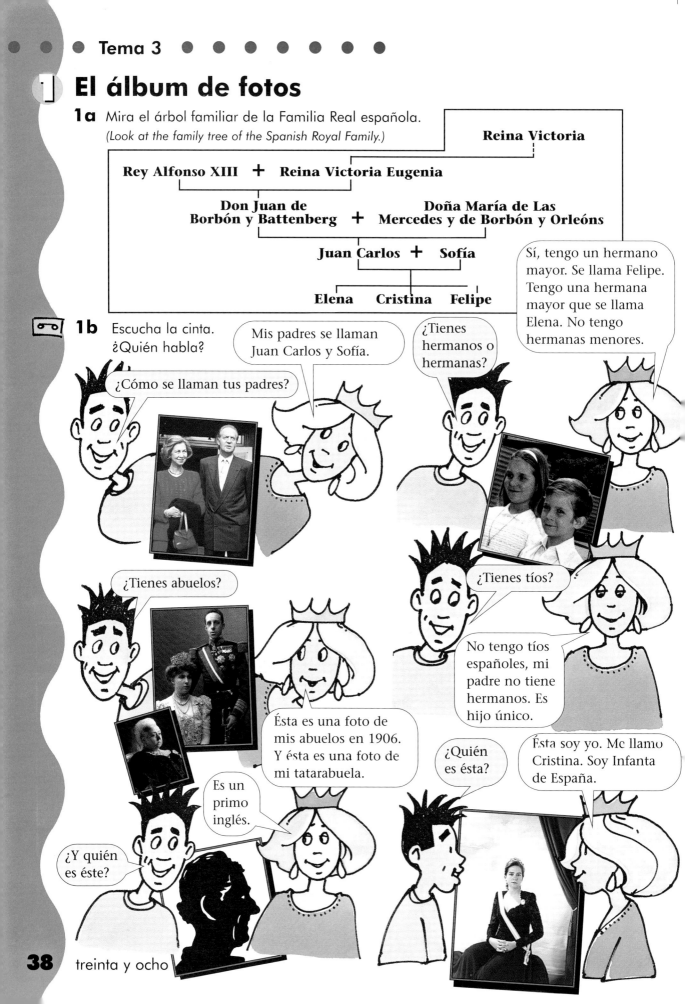

2 Imagina que eres una persona famosa.
Habla de tu familia con tu pareja.

ejemplo

¿Cómo se llama tu madre? · Se llama Morticia.

¿Tienes tíos? · Sí, tengo un tío.

¿Cómo se llama? · Se llama Fester.

3a Escucha la cinta y completa la ficha.

Hola, soy Javier.
Vivo con mi madre
Lucía, mi padrastro
Roberto y mis
hermanastros.

Hola, me llamo
Patricio. Vivo con mi
madre Merce y su
marido Pepe. Pepe es
mi padrastro.

Me llamo Paquita.
Vivo con mi madre.
Soy hija única pero
tengo dos hermanastros,
Juanito y Madalena.

Yo me llamo José. Mi
padre vive con su mujer,
Sonia, que es mi
madrastra, y sus hijas,
mis hermanastras, que se
llaman Lucía y Cecilia.

3b Dibuja tu árbol familiar.

3c Describe tu árbol familiar a tu pareja.

SOCORRO

el marido - *husband*
el padrastro - *stepfather*
la mujer - *wife*
la madrastra - *stepmother*
las hijas - *daughters*
las hermanastras - *stepsisters; halfsisters*

los hermanastros - *stepbrothers; halfbrothers;*
stepbrother(s) and stepsister(s),
halfbrother(s) and halfsister(s)
los hijos - *sons; son(s) and daughter(s)*
la hija única - *only daughter*
viven - *they live*

2 Los colores y tú

 1 Escucha la cinta y lee las descripciones. Escribe los números de las personas en el orden en que hablan.

> Me llamo Patricio. Soy rubio y tengo los ojos azules. Mis colores preferidos son el azul y el negro.

> Me llamo Lucía. Soy morena. Tengo el pelo negro y los ojos marrones. Mis colores preferidos son el rojo y el morado.

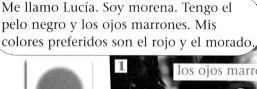

el pelo rubio

los ojos azules

la piel blanca

rojo

morado

1

los ojos marrones

el pelo negro

la piel morena

2

azul

negro

> Me llamo Sonia. Soy negra. Tengo el pelo negro y los ojos negros. Mis colores preferidos son el amarillo y el rojo.

> Me llamo Daniel. Soy pelirrojo y tengo los ojos verdes. Mis colores preferidos son el verde y el azul.

amarillo

rojo

3

el pelo negro

los ojos negros

la piel negra

4

el pelo pelirrojo

los ojos verdes

la piel blanca

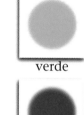

verde

azul

> Mi nombre es Claudia. Tengo el pelo castaño y los ojos castaños. Mis colores preferidos son el naranja y el marrón.

> Me llamo Sergio. Soy mestizo. Tengo el pelo castaño y los ojos marrones. Mis colores preferidos son el gris y el blanco.

naranja

marrón

5

el pelo castaño

los ojos castaños

la piel blanca

6

el pelo castaño

los ojos marrones

la piel mestiza

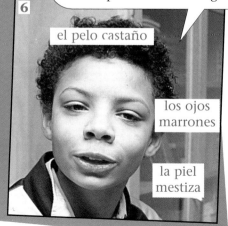

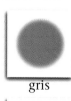

gris

blanco

G R A M Á T I C A

el pelo negro   la piel negra   los ojos negros

2 Trabaja con tu pareja. Imagina que eres una de las personas de las fotos. Descríbete. Tu pareja tiene que adivinar quién eres.

Soy	Tengo		
moreno/morena.	el pelo negro.	la piel morena.	los ojos marrones.
rubio/rubia.	el pelo rubio.	la piel blanca.	los ojos azules.
pelirrojo/pelirroja.	el pelo negro.	la piel mestiza.	los ojos verdes.
negro/negra.	el pelo castaño.	la piel negra.	los ojos negros.
mestizo/mestiza.			los ojos castaños.

3 Ahora descríbete a tu pareja. Elige las palabras apropiadas.

4 ¿Qué te dicen los colores? Elige las palabras apropiadas para cada color.
(What do colours mean to you? Choose the appropriate words for each colour.)

El azul es ...
El verde es ...
El rojo es ...
El amarillo es ...
El naranja es ...
El blanco es ...
El negro es ...
El gris es ...
El morado es ...

romántico
serio   elegante   sensacional
formal   agradable
positivo   moderno
dinámico   negativo
sincero   dramático
misterioso
práctico   artístico
tranquilo   triste
vibrante
melancólico

5 Trabaja con tu pareja.

ejemplo

¿Cuál es tu color preferido?   Mi color preferido es el rojo.

3 ¿Cómo eres?

 1 Escucha la cinta y mira los dibujos. ¿Cómo es el pelo de Fernando?
(Listen to the tape and look at the drawings. What is Fernando's hair like?)

2 Trabaja con tu pareja. Describe tu pelo.

> Tengo el pelo corto/largo y rizado/liso.

3 Describe el pelo de una persona de tu clase.

ejemplo

> Tiene el pelo largo y liso.

> ¡Soy yo!

4 Pregunta a tu pareja.

ejemplo

> ¿Eres alto/alta o bajo/baja?

> ¿Eres gordo/gorda o delgado/delgada?

5 Lee las descripciones y busca las personas en el dibujo.

Soy alta y delgada. Soy morena y tengo el pelo largo y liso.
Sofía

Tengo 16 años. Soy alto. No soy ni gordo ni delgado. Soy moreno y tengo el pelo corto.
Rafael

Soy rubia y tengo los ojos azules. Soy baja y delgada. Tengo el pelo liso pero no es ni largo ni corto.
Felisa

Soy alta y gorda. Tengo el pelo largo y rizado.
Natalia

Soy moreno, bajo y delgado. Tengo el pelo corto.
Ernesto

6 Lee las cartas y escribe una descripción similar de ti mismo.
(Read the letters and write a similar description of yourself.)

Nombre: Ruth Semprit
Edad: 20 años
Dirección: 1030 Bill Beck Blv., Kissimmee, FL 34744, ESTADOS UNIDOS.
Descripción: Soy rubia. Tengo los ojos verdes. No soy ni alta ni baja. Tengo el pelo largo.

Nombre: Gustavo Oviedo
Edad: 17 años
Dirección: Av. Principal de Circunvalación del Sol, Edif. San Fernando Piso 8, Apart. 4-A, Santa Paula. Caracas, VENEZUELA
Descripción: Soy alto y delgado. Soy moreno y tengo el pelo corto.

Nombre: Alicia Mariana Vargas
Edad: 25 años
Dirección: Zapote, 50 mts Sur, Casa Cural Zapote, San José, COSTA RICA.
Descripción: Soy morena y tengo los ojos negros. Tengo el pelo corto. Soy baja y delgada.

④ ¿Tienes un animal?

1a Escucha la cinta.

¿Tienes un animal en casa, Carolina?

Sí, tengo muchos.

¿Cómo son?

Tengo dos tortugas.

Las tortugas son pequeñas pero no son simpáticas. Son muy antipáticas. Son feroces. Se llaman Jaws y Orca.

¿Cómo se llaman los tucanes?

Se llaman Pili y Mili. Pili es muy bueno y Mili es muy malo. Generalmente son muy tranquilos.

Y tengo un perro que se llama Balú. Los perros son inteligentes, pero Balú es tonto.

1b Lee la entrevista con tu pareja.

1c Pregunta a tu pareja.

ejemplo

¿Son feroces o tranquilas las tortugas?

¿Es bueno o malo Mili?

¿Cómo son los tucanes generalmente?

¿Balú es tonto o inteligente?

2 Escucha la cinta.
¿Cuántos animales tiene Fernando?

Tengo una paloma mala y un burro bueno.

¿Fernando, tienes animales en casa?

Sí, tengo un tucán feroz y dos gatos tranquilos.

Tengo un caballo rápido y una tortuga lenta.

Tengo un periquito viejo y un conejo joven.

Tengo un ratón largo y una serpiente corta.

Tengo seis peces pequeños y un pez grande.

G R A M Á T I C A

un burro bueno   tres burros buenos   una paloma mala   dos palomas malas

3a Escribe una descripción de los animales en el dibujo.

ejemplo   Hay dos ratones: un ratón blanco y ...

 3b Escucha la cinta para ver si es correcta tu descripción.

38 **4** Haz una encuesta en tu clase.
¿Cuál es el animal más popular?
*(Carry out a survey in your class.
Which is the favourite pet?)*

ejemplo

¿Tienes animales en casa?

Sí, tengo una tortuga.

Mini test

- Ask about your friend's family
- Talk about your family
- Describe what you look like
- Describe what someone else looks like
- Ask someone if he/she has a pet
- Talk about your own pet

⑤ Animales del mundo hispano

1 Escucha la cinta y mira los dibujos. Escribe los nombres o los números de los animales en el orden en que son mencionados.

1 Este animal es una llama. Es de Perú. Vive en los Andes en Sudamérica.

2 El cóndor es un pájaro grande. Es sudamericano. Vive en las montañas.

3 ¡Cuidado! Es un caimán. Vive en el Río Amazonas y en el Río Orinoco. Es feroz y tiene mucho apetito.

SOCORRO

este - *this*
un pájaro - *bird*

las montañas - *mountains*
¡cuidado! - *be careful!*
el perezoso - *sloth*

perezoso/a - *lazy*
los árboles - *trees*
sagrado - *sacred*

2 Escucha la canción. Escribe las letras de los animales mencionados en la canción.

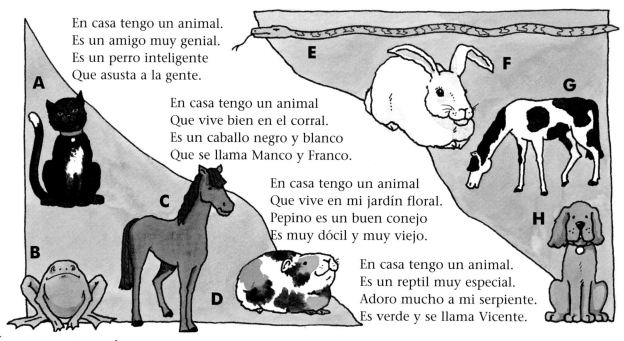

En casa tengo un animal.
Es un amigo muy genial.
Es un perro inteligente
Que asusta a la gente.

En casa tengo un animal
Que vive bien en el corral.
Es un caballo negro y blanco
Que se llama Manco y Franco.

En casa tengo un animal
Que vive en mi jardín floral.
Pepino es un buen conejo
Es muy dócil y muy viejo.

En casa tengo un animal.
Es un reptil muy especial.
Adoro mucho a mi serpiente.
Es verde y se llama Vicente.

5 El jaguar, animal sagrado de los aztecas y los incas, vive en Centroamérica y en Sudamérica. Es feroz y rápido.

4 El perezoso ¡qué perezoso es! Vive en los árboles de Sudamérica y Centroamérica. Es muy tranquilo.

6 El quetzal es un pájaro interesante. Vive en Guatemala. Es verde y rojo. Es el símbolo nacional de su país.

3 Elige tu animal favorito y lee el comentario. ¿Tienes las mismas características?
(Choose your favourite animal and read the commentary. Do you have the same characteristics?)

Un test ~ los animales

el gato

el perro

el caballo

el mono

el ratón

el conejo

1 El gato es elegante, independiente y reservado.
2 El perro es sociable, simpático y generoso.
3 El caballo es inteligente, atlético y romántico.
4 El ratón es pequeño, tímido y nervioso.
5 El conejo es vegetariano y es simpático.
6 El mono es ágil y es divertido.

6 ¿Dónde vives?

1 Escucha la cinta y mira las fotos.

Vivo en una granja en Andalucía.

e Mari Ví

a David

Vivo en un piso en Madrid.

Vivo en una chabola en Perú.

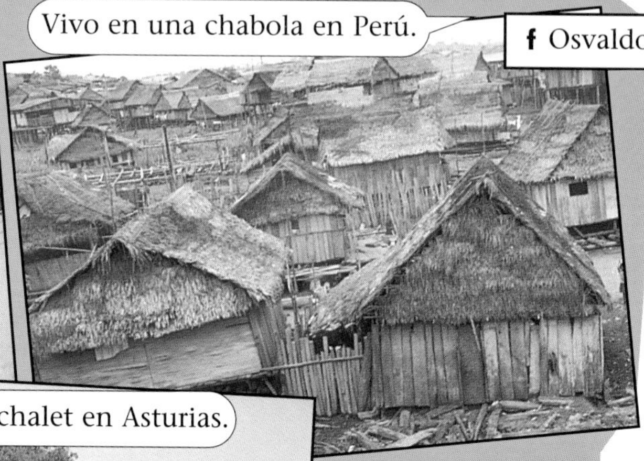

f Osvaldo

Vivo en una casa en México.

b Guadalupe

Vivo en un chalet en Asturias.

c Asunción

Vivo en una pensión en Torremolinos.

d Manuel

Vivo en una hacienda en Argentina.

g Alicia

2a Escucha la cinta. Empareja las casas con las personas.
¡Ojo! Hay cinco casas y cuatro personas.

1  **2**  **3**

4   **5**

A don Pedro   **B** doña Juana   **C** Joaquín   **D** Paquita
Sepúlveda   Trujillo Ruiz   Ballester   Allende

2b Escribe dónde vive cada persona.

 3 Encuesta. Pregunta a tu clase.

ejemplo

¿Vives en una casa?   No, vivo en un piso.   ¿Dónde vives?   Vivo en una casa.

¿Es grande tu piso?   No, es pequeño.   ¿Es grande tu casa?   Sí, es grande.

7 ¿Cómo es tu casa?

1 David

2 Guadalupe

 1a Escucha la cinta y empareja las personas con los dibujos.
¡Ojo! Hay cuatro casas pero tres personas.

3 Osvaldo

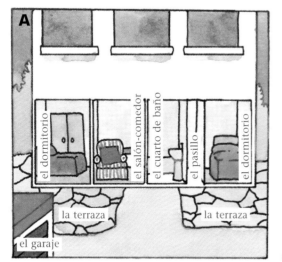

A
el dormitorio
el salón-comedor
el cuarto de baño
el pasillo
el dormitorio
la terraza
la terraza
el garaje

B
la habitación   la cocina

C
el pasillo
el aseo
el dormitorio
la escalera
el dormitorio
el ático
el pasillo
el dormitorio
la escalera
el pasillo
el dormitorio
el cuarto de baño
el salón
el balcón
el despacho
arriba
el comedor
la cocina
abajo
la escalera
el sótano
el jardín
la piscina
el patio
la terraza
el garaje
el garaje

D
el dormitorio
el cuerto de baño
el salón
la cocina

1b Describe la casa que no sale en la cinta. (*Describe the house that is not on the tape.*)

 43 **2** Escucha la cinta. ¿Cómo son las casas de los jóvenes? Rellena la ficha.

3 Dibuja un plano para la casa de Asunción, Manuel, Mari Ví o Alicia.

GRAMÁTICA

tener - to have
(yo) tengo - I have

(tú) tienes - you have
(él/ella; Vd.) tiene - he/she/it has; you
                      have (polite form)

4 ¿Cómo es tu casa? Describe tu casa a tu pareja.

Vivo en	una un	casa. piso. chalet. chabola. pensión. granja. hacienda.	Hay Tiene	un una dos tres cuatro cinco	salón. cocina. dormitorio/dormitorios. garaje/garajes. jardín/jardines. balcón/balcones. patio. terraza/terrazas. cuarto/cuartos de baño. aseo/aseos. despacho. piscina. pasillo/pasillos. escalera/escaleras. sótano.

5 Escucha la cinta y después juega el juego con tu clase.

SOCORRO

¿cómo es? - *what's it like?*
las plantas - *storeys/floors of a house*
hay - *there is/are*
tiene - *it has*

8 Mi pueblo

1a Escucha la cinta.

¿Dónde vive Gloria Estefan?
Gloria vive en una casa cerca del mar en Miami.

¿Dónde vive el ciclista Miguel Induráin?
Miguel Induráin vive en un pueblo pequeño en el campo.

¿Dónde vive Juan Carlos, el Rey de España?
El Rey de España vive en Madrid, en un palacio en el centro de la ciudad.

¿Dónde vive la tenista Arantxa Sánchez Vicario?
Arantxa vive en Barcelona, en las afueras de la ciudad.

1b Pregunta a tu pareja dónde viven una o dos de las personas.

SOCORRO

vive - *he/she lives; you live (polite form)*
cerca del mar - *by the sea*
en el centro - *in the centre*

la ciudad - *city*
en las afueras - *in the suburbs*
un pueblo - *village*
en el campo - *in the countryside*

2 Escucha la cinta y después haz las preguntas a tu pareja.

1 ¿Cómo es tu ciudad?

3 ¿Cómo es tu pueblo?

Está en el norte.
Es industrial.
Es sucia.
Es fea. Está
contaminada.
Hay mucho
tráfico.

Está en el este, en el campo. Es antiguo.
Es bonito. Hay muchos turistas.

Está en el sur, cerca del mar. Es tranquilo.
Es pequeño. No es limpio ... hay muchos ...

zzzzzzZZ

Está en el oeste de la
ciudad. Es moderno.
Es residencial. Es limpio.
Hay muchos parques.

2 ¿Cómo es tu barrio?

4 ¿Cómo es tu pueblo?

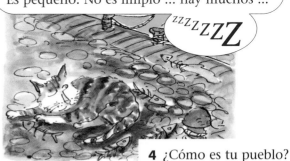

SOCORRO

industrial - *industrial*	residencial - *residential*
sucio/sucia - *dirty*	limpio/limpia - *clean*
feo/fea - *ugly*	tranquilo/tranquila - *quiet, peaceful*
contaminado/contaminada - *polluted*	bonito/bonita - *pretty*
moderno/moderna - *modern*	antiguo/antigua - *old*

3a Escucha la cinta. Empareja las
postales con las personas. Hay tres
postales pero cuatro personas.
*(Listen to the tape. Match the
postcards with the people. There are
three postcards but four people.)*

A

B

C

45 **3b** ¿Qué dicen las personas del lugar donde viven?
(What do the people say about the places they live in?)

RESUMEN

Now you can:

- understand people talking about their family and talk about your family Vivo con mi padre y mi madrastra.
- ask people about their family ¿Cuántos años tiene tu hermano?
- describe what you look like Soy negro/negra. Soy blanco/blanca. Soy mestizo/mestiza. Tengo el pelo largo. Soy alto/alta.
- ask what others are like ¿Cómo es? ¿Cómo son?
- describe other people Es morena. Tiene los ojos negros.
- ask someone if he/she has a pet ¿Tienes un animal en casa?
- talk about your pets Tengo un periquito. Es azul.
- ask someone about his/her home ¿Dónde vives?
  ¿Vives en una casa o en un piso?
- understand someone talking about his/her home Vivo en un piso.
- talk about your home Es una casa de dos plantas. Arriba hay ...
- understand someone talking about where he/she lives and talk about where you live Vivo en las afueras de la ciudad/en el centro de la ciudad/en el campo.

Algunas Preguntas

¿Tienes jardín en tu casa?
Sí, y me gusta cuidar de él.

¿Prefieres el campo o la ciudad?
Las dos cosas. Me gusta explorar las ciudades que visito, perderme por sus calles y observar a sus gentes, pero también me gusta dar un paseo por el campo montado a caballo.

¿Te gustan los animales?
Sí, especialmente los perros y los caballos.

¿Tienes alguno?
Sí, tengo tres perros: Deacon, Earl y Maggie.

¿Tu color favorito?
Azul.

PREPÁRATE

A ESCUCHA

1 Escucha la cinta y empareja el número de la persona con la letra del dibujo apropiado.

A   B   C   D   E   F   G   H

B HABLA

1 Haz las siguientes preguntas a tu pareja. Luego contéstalas.

a ¿Vives en una casa o en un piso?

b ¿Vives en las afueras de la ciudad, en el centro o vives en el campo?

c ¿Cómo es tu casa?

d ¿Tienes animales en casa?

e ¿Cómo es tu animal?

C LEE

1 Elige la casa ideal para cada persona.

a Tengo tres hijos y necesito una casa con cuatro dormitorios y un jardín.

b ¿Mi casa ideal? Es un piso moderno en el centro de la ciudad.

c Busco una casa en las afueras de la ciudad, con tres o cuatro dormitorios, dos cuartos de baño, un jardín y un garaje.

d Tengo un hijo. Necesito una casa pequeña o un piso en el centro de la ciudad con dos dormitorios.

D ESCRIBE

1 Escribe una carta y contesta las preguntas.

¡Hola! ¿Cómo estás? Me llamo Patricio. Soy de Valencia en España. Vivo en un piso en las afueras de la ciudad. Tengo tres hermanos. Mi hermana mayor se llama Sara y tiene 20 años. Mi hermano se llama Pepe y tiene 17 años. Tengo una hermana pequeña que se llama Eva. ¿Dónde vives tú? ¿Tienes hermanos? ¿Cómo se llaman? ¿Cuántos años tienen? ¿Tienes un animal?

Escríbeme pronto.

Patricio

¿Qué deporte practicas?

1 Escucha la cinta y escribe el número de cada deportista en el orden en que hablan.
(Listen to the tape and write the number of each sportsperson in the order in which they speak.)

1
Nombre:
Dionisio Cerón
Nacionalidad:
mexicano
Deporte:
el atletismo
Vive en:
México
Títulos:
número uno
mundial de
maratón (1994)

3
Nombre:
Carlos Sainz
Nacionalidad:
español
Deporte:
el automovilismo
Vive en:
España
Títulos:
dos campeonatos
mundiales de rallies

2
Nombre:
Conchita Martínez
Nacionalidad:
española
Deporte:
el tenis
Vive en:
España
Títulos:
Wimbledon,
medalla de plata
en los Juegos
Olímpicos

4
Nombre:
Martín López
Zubero
Nacionalidad:
español
Deporte:
la natación
Vive en:
Florida, Estados
Unidos
Títulos:
campeón de España, de Europa, del mundo y
olímpico de 200 metros espalda

2 Trabaja con tu pareja. Imagina que eres
una de las personas de las fotos. Explica
a tu pareja qué deporte practicas.

ejemplo

> Juego al tenis.

> Practico la natación.

G R A M Á T I C A

Juego al tenis.

Practico el atletismo.

You can use **practicar** with any sport and
jugar a (to play) with games like tennis.

N.B. a + el = al

juego al fútbol, juego al tenis.

3 Mira los dibujos de los deportes y pregunta a tu pareja: ¿Qué deporte practicas/juegas?

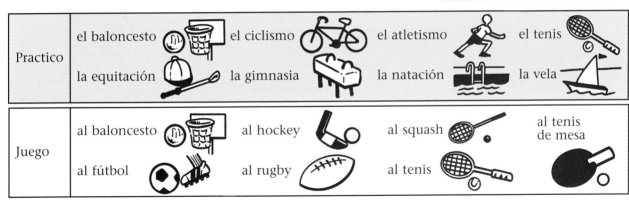

Practico	el baloncesto	el ciclismo	el atletismo	el tenis
	la equitación	la gimnasia	la natación	la vela
Juego	al baloncesto	al hockey	al squash	al tenis de mesa
	al fútbol	al rugby	al tenis	

4 Trabaja con tu pareja. Imagina, otra vez, que eres uno de los deportistas de las fotos. Tu pareja te hace preguntas.

 ejemplo

¿Cómo te llamas?   ¿De qué nacionalidad eres?

¿Qué deporte practicas?   ¿Dónde vives?

5 Imagina que entrevistas a tu deportista favorito. Escribe la entrevista.

 6a Escucha la cinta y escribe las letras de los dibujos en orden.

6b Escucha la cinta otra vez y escribe todo lo que puedas sobre cada persona.

A   B   C   D

7 Escribe una carta a un amigo español. Menciona tus deportes favoritos.
(Write a letter to a Spanish friend. Mention your favourite sports.)

¡Hola!
¿Qué tal? Mi nombre es Sergio. Soy español y tengo 14 años. Me gusta mucho el fútbol. Mi equipo preferido es el Real Madrid. Juego al tenis, al baloncesto y al fútbol, ¡claro!

2 ¿Qué haces en tu tiempo libre?

 1 Escucha la cinta y escribe las letras en el orden correcto.

A Juego con los videojuegos.

B Voy al cine.

C Escucho música.

D Toco el piano y el saxofón.

E Veo la televisión.

F Salgo con mis amigos.

G Voy de compras.

H Voy al centro juvenil.

I Juego con mi ordenador.

J No hago nada.

2 Pregunta a tu pareja.

> ¿Qué haces en tu tiempo libre?

 3 Escucha la cinta y marca los pasatiempos apropiados para cada persona.
(Listen to the tape and mark the appropriate hobbies against each person.)

4 Escribe las palabras apropiadas en los espacios.
(Write the appropriate words in the spaces.)

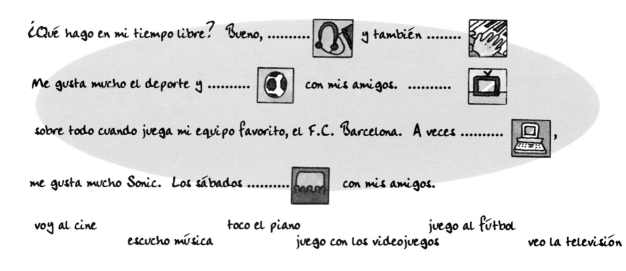

¿Qué hago en mi tiempo libre? Bueno, ... 🎧 y también ....

Me gusta mucho el deporte y .... ⚫ con mis amigos. .... 📺

sobre todo cuando juega mi equipo favorito, el F.C. Barcelona. A veces .... 💻 ,

me gusta mucho Sonic. Los sábados .... 🎬 con mis amigos.

voy al cine   toco el piano   juego al fútbol

escucho música   juego con los videojuegos   veo la televisión

5 Escribe una lista de:

a los pasatiempos que te gusta hacer.

b los pasatiempos que no te gusta hacer.

6 Pregunta a tu pareja.

ejemplo

> ¿Te gusta salir con tus amigos/
> escuchar música/jugar al fútbol …?

7 Mira las cosas de las fotos y escribe una
frase para cada una.

ejemplo

> Me gusta jugar al fútbol.

> No me gusta leer.

Me gusta/No me gusta
salir con mis amigos.
escuchar música.
ir al cine.
tocar el piano.
jugar con los videojuegos.
ir de compras.
practicar deportes.
leer.
ver la televisión
jugar con mi ordenador.

3 ¿Qué hay en la tele?

1 Escucha la cinta.

¿Qué programas de televisión prefieres, Cristina?

Yo prefiero las series policíacas.

¿Y tú, Maribel?

Yo prefiero los concursos.

Y tú, Victoria, ¿qué programas prefieres?

Prefiero las telenovelas. Y también los programas musicales.

¿Te gustan los concursos, Jaime?

No, no me gustan los concursos. Prefiero las noticias y los programas de actualidad.

Y tú, Luis, ¿te gustan las noticias?

No, prefiero las telecomedias.

¿Y tú Rafael?

Yo prefiero las películas, las películas de acción.

¿Y qué prefieres tú, Juan?

Yo prefiero los programas de deportes, especialmente el fútbol.

Y tú, Fernando, ¿qué programas de televisión prefieres?

Prefiero los dibujos animados.

2a Escucha la cinta y empareja los sonidos con los anuncios.
(Listen to the tape and match the sounds with the advertisements.)

A  **22.00** ESPECIAL *Viva* GALAS *América*
La modelo Anne Igartiburu, actual presentadora del magazine *Boulevard* de Euskal Telebista, comparte las labores de presentación de esta Gala con Agustín Bravo. Entre los invitados destaca la actuación de Marta Sánchez.

B  **01.00** SERIE **Nuestros detectives**
Colombo es, en esta ocasión, el personaje central de esta serie. Con su estilo inconfundible intenta solucionar el caso de una mujer, destrozada tras la muerte de su marido.

C  **18.30** NOVELA **Déjate Querer**
Los amores, desamores y venganzas continúan en esta telenovela venezolana, protagonizada por Carlos Mata y Catherine Fullop.

D  **01.00** INFORMATIVO **NoTiciAs**
José María Carrascal logra, con su peculiar estilo, sus polémicos comentarios, sus corbatas, sus adjetivos y, solo ante las cámaras, acaparar gran parte de la audiencia de los últimos informativos del día.

E  **23.35** ESPECIAL **Especial Bugs Bunny**
Documental que cuenta con las declaraciones del completísimo equipo de la Warner, que intervino en la creación y desarrollo del famoso personaje de dibujos animados, el conejo Bugs Bunny.

F  **22.00** FUTBOL **Fútbol. Final del Trofeo Carranza**
Después de los buenos resultados obtenidos en la pretemporada, el Real Madrid de Jorge Valdano se presenta como máximo favorito en el Carranza. El lateral Quique Flores es uno de los fichajes de este renovado conjunto.

G  **00.30** HUMOR **Pssst, pssst, que viene**
Pablo Carbonell es el presentador de esta serie documental en clave de humor, en la que se incluyen reportajes sobre la posible forma de vida en el siglo XXI.

H  **21.30** CONCURSO **Móntatelo**
Las Veneno ponen la guinda humorística en este concurso veraniego, en el que los participantes deben hacer gala de su originalidad para construir todo tipo de vehículos.

2b ¿Qué tipo de programas son? Empareja los anuncios con las frases.

1	dibujos animados	**3**	noticias	**5**	programas de deportes	**7**	concursos
2	series policíacas	**4**	telecomedias	**6**	telenovelas	**8**	programas musicales

2c Lee los anuncios. ¿Te interesan los programas?

2d Prepara tus propios anuncios.

3a Lee cuáles son los programas preferidos de una clase de alumnos españoles.

Preguntamos a una clase de alumnos de 14 años qué tipo de programas de televisión prefieren.

telecomedias 13%   concursos 8%   telenovelas 38%   programas de deportes 23%

noticias 1%   dibujos animados 2%   series policíacas 4%   películas 11%

55 **3b** Pregunta a tu clase.

ejemplo

¿Qué tipo de programa prefieres?   Prefiero las telenovelas.

3c Compara tus resultados con los resultados de los alumnos españoles.
(Compare your results with those of the Spanish pupils.)

ejemplo

Preferimos programas de deportes.   Los españoles prefieren telenovelas.

4 ¿A qué hora ponen el fútbol?

 1a Escucha la cinta y mira la guía de televisión. Busca los programas mencionados.
(Listen to the tape and look at the television guide. Find the programmes mentioned.)

¿A qué hora ponen el oso 'Yogui'?
A las ocho.
¿En qué canal?
En Antena 3.

¿A qué hora ponen 'Clip, Clap, Vídeo'?
A las 11.35.
¿En qué canal?
En la 2.

¿A qué hora ponen el fútbol?
A las 20.30 en Antena 3.

¿A qué hora ponen 'El príncipe de Bel Air'?
A las 14.30.
¿En qué canal?
En Antena 3.

② La 2

08.00 Opera
Vísperas sicilianas
Desde el teatro de la Scala de Milán, el Ballet Coro y Orquesta de Milán, ofrecen esta obra de Giuseppe Verdi.

11.00 Ultimas preguntas
Religioso

11.35 Clip, clap vídeo
Videoclips musicales, basados en la lista de los 50 discos más vendidos del mercado.

13.00 Pinnic
Infantil. Incluye los dibujos animados:
- Los Fruittis
- Bob, el genio de la botella

14.00 Voleibol playa
15.00 Cifras y letras junior
15.30 Grandes documentales
El valle silencioso

16.30 Misión Eureka
La decisión
3 El Conde *Waldegg*, principal inversor del proyecto, intentará sustituir al capitán del buque Magallanes.

17.30 Asuntos de familia
5 Sin hacer caso a los consejos que le da su familia, *Lilly* acepta la propuesta de matrimonio de *William* para dar un apellido al hijo que espera de él.

19.00 Tequila y Bonetti
El perro maravillas
9 Después de salvar a un pequeño bebé, *Tequila* se convierte en el perro más famoso de la costa sur.

20.00 Balonmano
Barcelona-Teka
Encuentro perteneciente a la Liga Asobal.

21.30 Matrimonio con hijos
Peggy y su corderito
En el día de San Valentín, *Peggy* se siente un tanto romántica y desea que...

22.00
John Saxon interviene en esta divertida comedia

La pícara edad
Un actor ya maduro comienza a sentir el peso de la edad. Al descubrir que ya no gusta a las mujeres, pierde la confianza tan necesaria en su profesión. Por fortuna, todo cambia tras vivir un maravilloso romance con su secretaria.
Comedia. (This happy feeling) USA. (1958) T. Dir.: Blake Edwards. Int.: Curt Jurgens, Debbie Reynolds, John Saxon. ★★ 90 min.

23.35
El divertido conejo Bugs Bunny nos sorprenderá con nuevas aventuras

Especial Bugs Bunny
Documental que cuenta con las declaraciones del equipo que creó este simpático personaje. Incluye divertidas aventuras de Bugs Bunny en sonido original, con subtítulos en castellano. 92 min.

01.10

◉ ANTENA 3

07.30 Noticias (R)
08.00 Tras 3 tris vacaciones
Infantil que incluye:
- Yogui (Ver a la derecha) -
Vicky el vikingo - Los Picapiedra - Denver - El libro de la selva - La leyenda del zorro - Ranma

11.00 Punky Brewster
11.30 Paradise Beach (R)
13.00 Un hombre de familia
Las aventuras de un jefe de bomberos convertido en padre y madre de sus hijos.

13.30 Salvados por la campana
Reposición de dos capítulos ya emitidos de esta serie juvenil.

14.30 El príncipe de Bel Air
Telecomedia protagonizada por el rapero Will Smith.

15.00 Noticias
Amplio resumen de la actualidad de la jornada presentado por Rosa María Mateo. Incluye el espacio meteorológico El Tiempo, con la previsión para el fin de semana.

15.30 Cine fin de semana
CINE Película aún sin determinar

17.30 Mini serie
19.30 Picket Fences
El perspicaz sheriff *Brock* es el encargado de esclarecer los diversos casos policiales que tienen lugar en Roma, una pequeña localidad de Wisconsin en la que, a veces, suceden acontecimientos cargados de drama y misterio.

20.30 Fútbol
Trofeo Ramón de Carranza
Sevilla-Nápoles
(Ver a la derecha)

22.30 Amigos para siempre
(Ver a la derecha)

23.30 Concha Velasco... El encanto de la comedia
La veterana y polifacética actriz Concha Vel... ...vacaci...

Yogui
08.00

Yogui y Bubú harán todo lo posible para conseguir apetitosa comida

Un año más, ya ha llegado la primavera al hermoso parque de Yellowstone y los osos, encabezados por *Yogui* y *Bubú* y terriblemente hambrientos tras un duro invierno, se disponen a hacerse con todas las cestas de meriendas de los turistas que puedan. 25 minutos

Trofeo Ramón de Carranza

20.30

El delantero del Sevilla Suker fue uno de los goleadores de la pasada temporada

En directo, desde Sevilla. Los andaluces, con Davor Suker al frente de sus figuras y entrenados por Luis Aragonés, se enfrentan a uno de los grandes clubes europeos del momento. 120 minutos

Amigos para siempre

1b Mira la guía y pregunta a qué hora y en qué canal ponen varios programas.
(Look at the guide and ask at what time and on which channel you can find various programmes.)

ejemplo

¿A qué hora ponen 'Voleibol playa'?
A las 14.00

¿En qué canal?
En la 2.

2a Escucha la cinta. ¿Qué programas prefieren las personas de la cinta?

2b Pregunta a tu clase.

ejemplo

> ¿Cuál es tu programa preferido?

> Mi programa preferido es 'Home and Away'.

> ¿A qué hora lo ponen?

> A las seis.

3 Hay 4 canales de la televisión en España.
Pero hay muchas cadenas de TV vía satélite.
¿Tienes TV por cable?

TeleDeporte

nal Clásico

SOCORRO

las series policíacas - *police series*
las telenovelas - *soaps*
los programas musicales - *music programmes*
los concursos - *game shows*
las noticias - *news*
los programas de actualidad - *current affairs*
las telecomedias - *comedy series*
los programas de deportes - *sports programmes*
las películas - *films*
los dibujos animados - *cartoons*
¿a qué hora ponen...? - *at what time is ... on?*
¿en qué canal? - *on what channel?*
la cadena - *channel*
TV vía satélite - *satellite TV*
TV por cable - *cable TV*

Mini test

- Ask someone what sport he/she does
- Say what sport you do
- Ask someone what he/she does in his/her spare time
- Say what you like to do in your spare time
- Ask what time a programme is on TV
- Say what time and channel a programme is on

5 ¿Adónde vamos?

Escucha la cinta y lee.

1 ¿Qué hacemos? — ¿Adónde vamos?

2 Siempre es igual... ¿Adónde vamos?.... ¿Qué hacemos?.... ¿Vamos al cine?..... No. ¿Vamos al parque?.....No. Es aburrido.

3 Es muy aburrido. — ¿Adónde vas?

4 Voy a casa. Adiós.

5 Oye, Carlos, espera un momento. Tengo un plan.

6 Tengo un plan positivo, dinámico y totalmente genial.

El lunes jugamos al fútbol. El martes vamos al polideportivo. El miércoles hacemos aeróbic...

¿Aeróbic? ¡Ni hablar! Los chicos no van a clases de aeróbic.

8

Es una buena idea.

Sí, para estar en forma.

9

¿Y adónde vais ahora?

10

¡Vamos a la heladería y celebramos la idea con un helado!

GRAMÁTICA

ir - to go

voy - I go

vas - you go

va - he/she/it goes; you go (polite form)

vamos - we go

vais - you go (plural, familiar form)

van - they go; you go (plural, polite form)

SOCORRO

oye - *listen*

espera un momento - *wait a moment*

genial - *brilliant, great*

¡ni hablar! - *no way!*

estar en forma - *to be fit*

la heladería - *ice cream parlour*

un helado - *ice-cream*

6 Una cita

1a Escucha la cinta.

1b Lee las tiras cómicas con tu pareja.

2a Escucha la cinta. ¿Dónde van estos amigos? Elige el dibujo correcto.
(Listen to the tape. Where are these friends going? Choose the correct drawing.)

2b Haz el papel de estos jóvenes. Invita a tu pareja a salir.
(Play the role of these young people. Invite your friend out.)

ejemplo

¿Quieres jugar al tenis?   De acuerdo./No puedo.

 3a Escucha la cinta. ¿Dónde se encuentran los amigos y a qué hora? Empareja los dibujos. *(Listen to the tape. Where are these friends meeting and at what time? Match the drawings.)*

A  **B**  **C**  **D**

E (see above) **F**

1 **2** **3** **4** **5**

G

3b Arregla la hora y el lugar de tu encuentro con tu pareja.
(Arrange the time and place to meet your partner.)

ejemplo

¿A qué hora quedamos?

A las seis y cuarto.

¿Dónde nos encontramos?

En mi casa.

4 Tu pareja te invita a salir. Rechaza la invitación y dale una razón.
(Your partner asks you out. Refuse the invitation and give a reason.)

ejemplo

¿Quieres ir al polideportivo?

No puedo. Tengo que estudiar.

Tengo que	visitar a mis abuelos. ayudar a mis padres. escribir una carta. hacer los deberes. ir de compras. trabajar.

5 Escribe una invitación a tu pareja y escribe una respuesta a la invitación de tu pareja.

SOCORRO

¿quieres ir? - *do you want to go?*
de acuerdo - *I agree, OK*
¿dónde nos encontramos? - *where shall we meet?*
la entrada - *entrance*
¿diga? - *hello (telephone answer)*

no puedo - *I can't*
tengo que - *I've got to*
trabajar - *work*
¿quieres? - *do you want to?*
ir de compras - *to go shopping*

7 ¿Alquilamos un vídeo?

1a Escucha la cinta.

1b Lee la tira cómica con dos compañeros.

1c Nombra películas que son comedias, de terror, de drama, de ciencia ficción, de intriga, de aventura, policíacas y del oeste.

SOCORRO

¿alquilamos ...?	de intriga - *thrillers*	sólo - *only*
- shall we hire?	del oeste - *westerns*	elegir - *to choose*
las películas - *films*	policíacas - *detective films*	vámonos - *let's go*
de terror - *horror*	¿por qué no vamos?	¿qué película es? - *what film*
de ciencia ficción - *science*	*- why don't we go?*	*is it?*
fiction films	el cine - *cinema*	

2a Escucha la cinta y empareja los jóvenes con sus películas preferidas.

2b Escucha otra vez y di qué tipo de películas prefieren.

2c Mira los anuncios de las películas. Pregunta a tu pareja.

ejemplo

¿Alquilamos 'Alien 3'?   Bueno, de acuerdo.

¿Alquilamos 'Indiana Jones'?   No sé.

¿Alquilamos 'Wayne's World'?   No, no me gustan las comedias.

3a Pregunta a tu pareja.

ejemplo

¿Qué tipo de películas prefieres?

Prefiero dibujos animados.

3b Pregunta a tu clase.

4 Prepara posters de tus películas preferidas.

8 Locos por la música

 1 Escucha la cinta. ¿Quién habla?

Enrique

¿Qué música te gusta?
Me gusta el rock, especialmente el heavy metal.
¿Por qué?
Porque es fuerte.
¿Cuál es tu grupo preferido?
Mi grupo preferido es 'Metálica', son fantásticos.

Nicolás

¿Qué música te gusta?
Me gusta la música clásica, especialmente la ópera.
¿Por qué?
Porque es romántica y dramática.
¿Qué cantantes de ópera te gustan?
Me gustan mucho Plácido Domingo, José Carreras y Pavarotti. Son fenomenales.

Elvira

¿Qué música te gusta?
Me gusta la música tecno.
¿Por qué?
Pues porque me gusta bailar y es música marchosa.

Gregorio

¿Qué música prefieres?
Me gusta la música soul.
¿Por qué?
Porque tiene mucho ritmo.

Nuria

¿Quién es tu cantante preferido?
Mi cantante preferido es Mark Owen de 'Take That'.
¿Por qué te gusta?
Porque canta muy bien y es muy guapo.

2 Pregunta a tu pareja.

ejemplo

¿Qué música te gusta? ¿Por qué?

¿Cuál es tu grupo preferido? ¿Por qué?

¿Quién es tu cantante preferido? ¿Por qué?

SOCORRO

porque - *because*
fuerte - *strong*
¿cuál? - *which?*
¿quién? - *who?*
el cantante - *singer*

canta - *he/she sings; you sing (polite form)*
muy bien - *very well*
bailar - *to dance*
la música marchosa - *dance music*
el ritmo - *rhythm*

 3 Escucha la cinta.

La cucaracha

La cucaracha, la cucaracha
ya no puede caminar
porque le falta, porque no tiene
las dos patitas de atrás

(Repite_)

La vaca es un animal
todo forrado de cuero
La vaca es un animal
todo forrado de cuero
tiene las patas tan largas
tiene las patas tan largas
tiene las patas tan largas
que le llegan hasta el suelo_

4 **La música en el mundo hispano**

La tradición musical es una parte muy importante de la cultura de todos los países hispanos.

Las **Castañuelas** son un instrumento de percusión muy típico de España. Da más acento al ritmo de los bailes españoles.

El **Flamenco** es música y baile de la región de Andalucía en el sur de España.

La **Gaita** es un instrumento asociado típicamente con Escocia. Pero en España también se toca. Es importante en la música regional de Asturias y Galicia.

La **Guitarra** española es el instrumento más famoso internacionalmente. Se toca en la música clásica y folklórica española.

Julio Iglesias es el **cantante** español más famoso del mundo. Sus canciones son muy románticas. Vive en Miami.

Los **Mariachis** mexicanos son grupos de músicos que tocan la música folklórica de México. La trompeta y el violín son los instrumentos más típicos de estos grupos.

El **Merengue** es la música tradicional del Caribe hispano, de la República Dominicana, por ejemplo. Es una música con mucho ritmo.

España tiene cantantes de **ópera** muy famosos como Plácido Domingo, José Carreras y Monserrat Caballé.

La **Rumba** es un baile cubano de origen africano.

La **Sardana** es un baile comunal de Cataluña en el noreste de España.

El **Tango** es un baile argentino muy popular y muy romántico.

La **Tuna** es un grupo de estudiantes españoles, que tocan guitarras y cantan en las ciudades de España.

RESUMEN

Now you can:

- ask others what sports they do ¿Qué deporte practicas? ¿Juegas al tenis?

- say what sports you do Juego al fútbol. Practico la natación.

- ask others what they do in their spare time ¿Qué haces en tu tiempo libre?

- say what you do in your spare time Voy al polideportivo. Veo la televisión. No hago nada.

- say what you like or do not like to do Me gusta ir al cine. No me gusta leer.

- say what you prefer to do Prefiero leer libros.

- ask others what they like doing ¿Te gusta escuchar música?

- ask people what they do ¿Juegas con tu ordenador?

- talk about what you and other people do on different days of the week El lunes voy al cine. El jueves vamos a casa de un amigo.

- ask others what type of TV programmes or films they prefer ¿Qué tipo de programas/películas prefieres? ¿Te gustan las telenovelas?

- say what types of TV programmes you prefer Prefiero las comedias.

- ask what time a programme is on TV and on what channel ¿A qué hora ponen las noticias? ¿En qué canal?

- talk to your friend on the phone and arrange to go out ¿Qué tal, Enrique? ¿Quieres ir a una fiesta?

- tell someone you cannot go out and give him/her a reason No puedo. Tengo que estudiar. Tengo que visitar a mis abuelos.

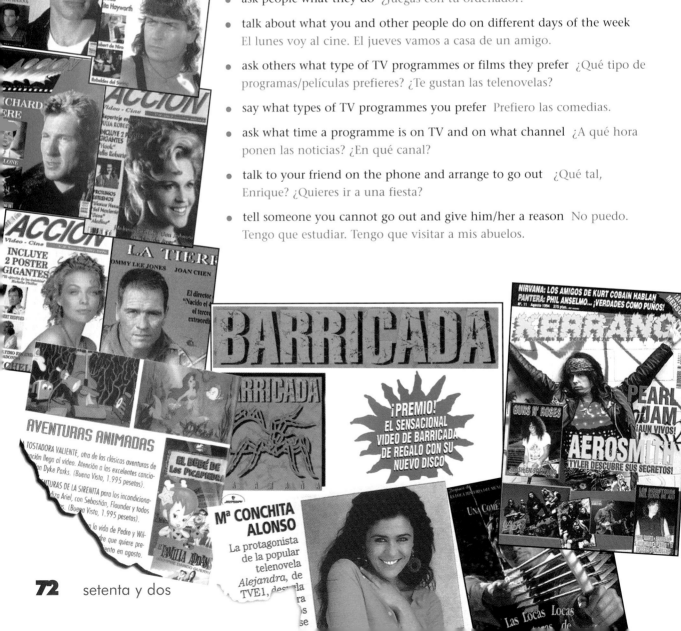

PREPÁRATE

A ESCUCHA

1 Escucha la cinta y empareja las actividades con los dibujos apropiados.

A  B C D E  F

B HABLA

1 Trabaja con tu pareja. Completa las preguntas con las palabras apropiadas y contéstalas.

> **a** ¿Qué deportes ....? **c** ¿Te gusta jugar .... fútbol?
>
> **b** ¿........................... al tenis? **d** ¿Qué .... en tu tiempo libre?
>
> > al   haces   practicas   juegas

C LEE

1 Un amigo que no habla español tiene una carta de España. Lee la carta y contesta las preguntas. *(A friend who does not speak Spanish has a letter from Spain. Read the letter and answer the questions.)*

¡Hola! Me llamo Victoria. Tengo 15 años y vivo en Jerez en el sur de España. Me gustan mucho los deportes. Practico la natación, la gimnasia y el atletismo. En mi tiempo libre, además de los deportes, me gusta salir con mis amigos, escuchar música y ver la televisión. Mis programas preferidos son los documentales y las películas. No me gustan las telenovelas. Son aburridas.

1 ¿Cómo se llama la chica española?

2 ¿Dónde vive?

3 ¿Qué deportes practica?

4 ¿Qué hace en su tiempo libre además de practicar deportes?

5 ¿Cuáles son sus programas de televisión preferidos?

6 ¿Qué programas no le gustan y por qué?

D ESCRIBE

1 Escribe una frase para cada dibujo empezando con 'Me gusta/No me gusta'.

2 Escribe lo que haces en tu tiempo libre durante una semana.
Escribe un pasatiempo diferente para cada día.

1 Tengo hambre

1a Escucha la cinta.

SOCORRO

tengo hambre - *I'm hungry*
¿quieres comer algo? - *do you want anything to eat?*
¿qué quieres comer? - *what do you want to eat?*
tengo sed - *I'm thirsty*
quiero tomar algo - *I'd like something to drink.*

¿qué quieres tomar? - *what do you want to drink?*
vamos - *let's go*
está lleno/llena - *it is full*
está cerrado/cerrada - *it is shut*
mala suerte - *bad luck*
entonces - *in that case*
vale - *O.K.*

1b Lee la tira cómica con tu pareja.

1c Contesta estas preguntas.

ejemplo

¿Dónde compras una pizza?

En una pizzería.

a ¿Dónde compras una hamburguesa?

b ¿Dónde compras un café?

c ¿Dónde compras un helado?

2 Pregunta a tu pareja.

¿Tienes hambre?	Sí, tengo hambre. No, no tengo hambre.
¿Tienes sed?	Sí, tengo sed. No, no tengo sed.
¿Qué quieres comer?	Quiero una pizza. un helado. una hamburguesa. un bocadillo.

¿Qué quieres tomar?	Quiero una limonada. una Coca Cola.
	         una naranjada. un batido.
	         agua.

¿Vamos   a la pizzería?
         a la hamburguesería?
         a la heladería?
         a la cafetería?
         al restaurante?
	No, ¿vamos a la pizzería?
	                     a la hamburguesería?
	                     a la heladería?
	                     a la cafetería?
	                     al restaurante?
	De acuerdo.

2 ¡Oiga, camarero!

1 Escucha la cinta.

¡Oiga, camarero!

¿Qué van a tomar, señores?

Para mí, la tortilla española, una ración de patatas fritas, una ensalada, un bocadillo de jamón ...¡Ah! Y pan.

¿Algo más?

Sí, un helado grande, de chocolate, fresa y vainilla.

¡Qué exagerado!

¿Y para beber?

Pues, un batido. ¡Ah! y después café con leche por favor.

¡Qué bruto!

Menú

tortilla española 500 ptas.

patatas fritas 300 ptas.

ensalada 280 ptas.

bocadillo de jamón 600 ptas

bocadillo de queso 500 ptas.

pan 50 ptas.

hamburguesa 610 ptas.

pizza 620 ptas.

helado de chocolate 200 ptas.
    de fresa 200 ptas.
    de vainilla 195 ptas.

batidos varios 125 ptas.

limonada 150 ptas.

Coca Cola 175 ptas.

agua mineral 180 ptas.

naranjada 175 ptas.

café solo 125 ptas.
    con leche 150 ptas.

SOCORRO

¡oiga! - *excuse me*
¿qué van a tomar? - *what are you going to have?*
para mí - *for me*
una ración - *a portion*
¿algo más? - *anything else?*
¿y para beber? - *what do you want to drink?*
después - *afterwards*
nada más - *nothing else*
¡qué exagerado! - *you are over the top!*
¡qué bruto! - *what an animal!*

2a Mira las fotos y mira el menú en la tira cómica. Adivina y escribe
lo que van a comer estos jóvenes. *(Look at the photos and the menu in the cartoon strip.*
Write down what you think these young people are going to eat.)

2b Escucha la cinta. Compara lo que dicen que van a tomar
los jóvenes con lo que has escrito.
(Listen to the tape. Compare what the young people say they are
going to have with what you have written down.)

3 Mira el menú en la tira cómica. Con tu pareja haz los papeles del
camarero y del cliente y pide algo de comer y beber del menú.
(Look at the menu in the cartoon strip. With your partner play the role of the
waiter and the customer and order something to eat and drink from the menu.)

ejemplo

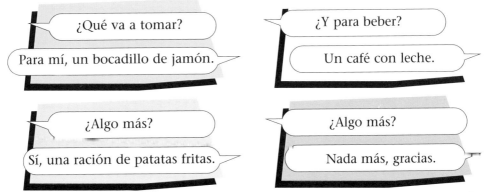

¿Qué va a tomar?

Para mí, un bocadillo de jamón.

¿Y para beber?

Un café con leche.

¿Algo más?

Sí, una ración de patatas fritas.

¿Algo más?

Nada más, gracias.

③ Un bocadillo, por favor.

1 Escucha la cinta.

Para mí, un bocadillo de jamón.

¿Y para usted?

No hay jamón.

Bueno, pues un bocadillo de queso.

Pues un bocadillo de chorizo.

No hay ni queso ni jamón; hay chorizo.

No hay pan.

Pues ¿tiene helado de chocolate?

Ya no hay tortilla.

¡Qué! Pues una tortilla entonces.

No tenemos de chocolate, ni de vainilla, ni de fresa. Ya no hay helado.

Pues una limonada.

SOCORRO

¿para usted? - *what are you having?*
no hay - *there isn't any*
ya no hay - *there isn't any left*
¡qué rico! - *delicious!*
que aproveche... - *enjoy your meal...*

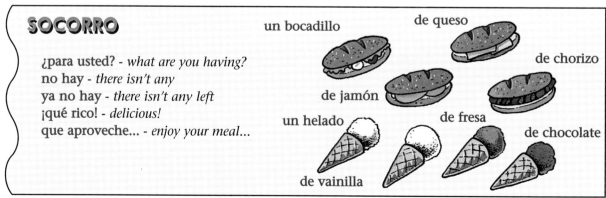

un bocadillo — de queso — de chorizo — de jamón
un helado — de fresa — de chocolate — de vainilla

2a ¿De qué son estos bocadillos?

2b ¿De qué son estos helados?

2c Pide un bocadillo y un helado a tu pareja.

ejemplo

¿Qué vas a tomar?

Un bocadillo de queso y un helado de chocolate.

Bocadillo de jamón 600 ptas.
de queso 500 ptas.
de chorizo 600 ptas.

Helado de chocolate 200 ptas
de fresa 200 ptas.
de vainilla 195 ptas.
de plátano 200 ptas

3 Escucha la cinta. ¿Qué bocadillos y helados no hay en la cafetería?

G R A M Á T I C A

tener – to have

tengo - I have
tienes - you have (familiar form)
tiene - he/she/it has; you have (polite form)

tenemos - we have
tenéis - you have (plural, familiar form)
tienen - they have; you have (plural, polite form)

④ La cuenta, por favor.

🔲 **1** Escucha la cinta.

Tome usted.

A ver, dos mil ochocientas cincuenta en total. ¿Cuánto es por mi limonada? Ciento cincuenta pesetas.

¿Cuánto es lo mío?

225 por el batido, 150 por el café, más 280 la ensalada, 300 las patatas fritas, má 600 el bocadillo, 595 el helado, 500 la tortilla y 50 el pan. Son 2.700 pesetas en total.

La cuenta, por favor.

el batido	225
el café	150
la ensalada	280
las patatas fritas	300
el bocadillo	600
el helado	595
la tortilla	500
el pan	50
la limonada	150
TOTAL	

100, 200, 300, 400 y 500. ¡Qué idiota eres!

Tome, un billete de 5.000 pesetas.

El cambio: 3.000, 4.000, 5.000 pesetas.

¡Ay, Felipe, no tengo dinero! Préstame 500 pesetas.

SOCORRO

la cuenta - *bill*
tome usted - *here you are*
a ver ... - *let's see ...*
en total - *in total*
lo mío - *mine*
más - *plus*
el dinero - *money*
préstame - *lend me*
¡qué idiota eres! - *what a fool you are!*
un billete - *a bank note*
el cambio - *change*
me debes - *you owe me*
la comida - *meal*

Me debes 2.700 pesetas por la comida, 750 por la entrada del partido de fútbol y las 500 pesetas. Son 3.950 en total.

Vale ...

SOCORRO			
0 cero	35 treinta y cinco	90 noventa	500 quinientas
10 diez	40 cuarenta	100 cien	600 seiscientas
20 veinte	50 cincuenta	110 ciento diez	700 setecientas
25 veinticinco	60 sesenta	200 doscientas	800 ochocientas
30 treinta	70 setenta	300 trescientas	900 novecientas
	80 ochenta	400 cuatrocientas	1000 mil
			2000 dos mil

2a Escucha la cinta y escribe los números que faltan en las cuentas.

1

2

3

2b Suma las cuentas con tu pareja. *ejemplo*
(Add up the bills with your partner.)

¡Oiga, camarero! La cuenta, por favor.

Cuarenta, más cincuenta, más sesenta y cinco son ciento cincuenta y cinco en total.

El dinero español

Las monedas
una peseta
cinco pesetas
diez pesetas
veinticinco pesetas
cien pesetas
doscientas pesetas
quinientas pesetas

Mini test

- Ask someone if he/she is hungry and thirsty and say if you are
- Ask someone what he/she would like to eat and drink and say what you would like
- Suggest a place to eat
- Choose food and drink from a menu
- Order something to eat and drink
- Take down an order for food and drink
- Ask for the bill

Los billetes
mil pesetas
dos mil pesetas
cinco mil pesetas
diez mil pesetas

⑤ ¿Qué te pasa?

1a Escucha la cinta.

1b Lee la tira cómica con tu pareja.

SOCORRO

¿qué te pasa? - *what's the matter?*
me siento mal - *I don't feel well*
¿qué te duele? - *what hurts?*
¿te duele ...? - *does your ... hurt?*
me duele... - *my... hurts*
me voy a casa - *I'm going home*
lo siento - *I'm sorry*

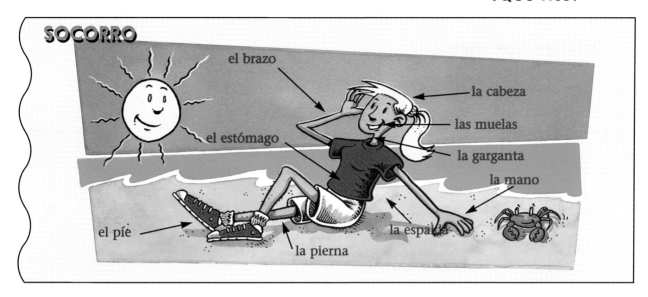

 2a Escucha la cinta. Pon los dibujos en el orden correcto.

a   b   c   d   e

2b Tu pareja hace el papel de las personas en los dibujos. Pregúntale qué le pasa.
(Your partner plays the roles of the people in the drawings. Ask him/her what the matter is.)

ejemplo

> ¿Qué te pasa?

> Me duele la cabeza.

 3a Escucha la cinta. Mueve las partes del cuerpo que te manda mover la profesora de gimnasia.
(Listen to the tape. Move the parts of your body that the gym teacher asks you to move.)

3b Haz el papel de un profesor de gimnasia y manda a tu pareja mover varias partes del cuerpo.

ejemplo

> ¡Mueve las piernas ...! ¡Los brazos...!
> ¡Mueve las manos ...!

⑥ ¿Qué comes?

1 Escucha la cinta y elige la hora correcta de las comidas.

1 el desayuno

2 la comida

3 la merienda

4 la cena

2 Trabaja con tu pareja.

ejemplo

¿A qué hora tomas el desayuno/
la comida/la merienda/la cena?

Tomo	el desayuno	a la	una	y media
	la comida	a las	dos	y cuarto
	la merienda		tres	menos cuarto
	la cena		cuatro	
			....	

3 Elige y completa las frases apropiadas para describir tu rutina diaria.

Tomo el desayuno a las ...
Llego a clase a las ...
Voy a casa a comer a mediodía.
Como en el instituto. La comida es a las ...
Tomo la merienda a las ....
Hago los deberes.

Toco el .....
Juego al ....
Veo la tele.
Salgo con mis amigos.
Ceno a las ....
Voy a la cama a las ....

4 Escucha la cinta y escribe las letras de los dibujos en el orden correcto.

A

yogur

bocadillo de jamón

vaso de leche

B

tortilla

verduras

C

sopa

ensalada

pollo

fruta

arroz

D

cereales

café con leche

pan y mermelada

G R A M Á T I C A

tomar - to take, to have (food or drink)

tomo - I have

tomas - you have (familiar form)

toma - he/she/it has; you have (polite form)

tomamos - we have

tomáis - you have (plural, familiar form)

toman - they have; you have (plural, polite form)

comer - to eat

como - I eat

comes - you eat (familiar form)

come - he/she/it eats; you eat (polite form)

comemos - we eat

coméis - you eat (plural, familiar form)

comen - they eat; you eat (plural, polite form)

5 Trabaja con tu pareja.

ejemplo

¿Qué tomas para el desayuno/la comida/la merienda/la cena?

Para el desayuno/la comida/la merienda/la cena tomo ....

6 El desayuno, la comida, la merienda, la cena, ¿cuál es tu comida favorita? Escribe un menú para tu comida ideal.

7 ¡Que aproveche!

1 Trabaja con tu pareja. Mira los posters. Pregunta:

ejemplo

¿Qué quieres comer?

¿Qué quieres beber?

Tu pareja pide una cosa de cada grupo.

2 Escribe lo que pide tu pareja para comer y para beber. Luego mira las listas y suma los puntos.
(Note what your partner orders to eat and drink. Then look at the lists and add the score.)

Grupo 1

hamburguesa 3
pescado 1
pollo frito 3
tortilla 1
pizza 3

Grupo 2

ensalada 1
patatas fritas 5

Grupo 3

helado 5
fruta 1

Grupo 4

Coca Cola 5
agua mineral 1
café 3
té 3

Resultados

De quince a dieciocho puntos
Tu comida es alta en calorías y grasa y baja en vitaminas.

De ocho a catorce puntos
Una comida buena y nutritiva.

De cuatro a siete puntos
Una comida alta en vitaminas, muy bien, pero posiblemente necesitas más calorías.

3 Lee la lista. ¿Cuántas palabras reconoces?
(Read the list. How many words do you recognize?)

bróculi	tomates
mandarinas	limones
uvas	piña
coliflor	espinacas
naranjas	patatas
melón	plátanos
coles de bruselas	

Los alimentos más ricos en Vitaminas

Vitamina C – Beneficiosa para huesos, dientes y vasos sanguíneos. Aumenta las defensas del organismo contra las infecciones.

4 Escucha la cinta y mira los dibujos. ¿Qué fruta no hay en el restaurante? Además hay una fruta que no se menciona. ¿Cuál es?

a	b	c	d	e	f

melocotón   limón   naranja   plátanos   uvas   melón

5a Trabaja con tu pareja. Pregunta:

ejemplo

> ¿Te gustan los plátanos/las naranjas/ las uvas/los melocotones?

> ¿Te gusta el melón/la piña?

5b Escribe una lista de ingredientes para una ensalada de frutas perfecta para tu pareja.
(Write a list of ingredients for the perfect fruit salad for your partner.)

melón

piña

naranjas   uvas

plátanos

fresas   melocotones

peras

Cómo hacer una ensalada de frutas

Elige frutas variadas, por ejemplo:
◉ melón ◉ fresas ◉ naranjas
◉ uvas ◉ melocotones ◉ peras.

1 Pela las naranjas, los melocotones, las peras y el melón.
2 Corta las uvas y saca las semillas.
3 Corta las frutas en trozos.
4 Pon la ensalada de frutas en un recipiente.

6 Lee la descripción de una fruta muy nutritiva. ¿Qué fruta es?

¿Es un plátano?   ¿Es una naranja?   ¿Es una pera?

Sus valores nutritivos	Alto suplemento de potasio, calcio, fósforo y hierro	Muy bajo contenido de sodio
Suplemento vitamínico	*Hierro 100% disponible, y que es muy importante para la producción de glóbulos rojos y otros procesos vitales del organismo.*	**Muy poca grasa**
Vitamina A		**Bajo en calorías**
Tiamina (vitamina B-1)		
Riboflavina		Tiene sólo 85 calorías.
Niacina		
Vitamina C		
Vitamina B-6		

(8) ¿Sabes lo que comes?

1

1 Las patatas son nutritivas y tienen vitaminas.

| **a** cierto | **b** falso |

3 La pasta es un alimento muy bueno para atletas.

| **a** cierto | **b** falso |

2 Si practicas muchos deportes es importante beber:
a Agua
b Café
c Leche

4 Si tienes mucha hambre pero no tienes mucho dinero, come:
a Un plátano
b Patatas fritas

5 En España la comida más importante es:
a El desayuno
b La comida a mediodía
c La cena

6 Una merienda nutritiva es:
a Chocolate
b Fruta o yogur

7 ¿Qué alimentos tienen vitamina C?
a Las naranjas, los tomates y las patatas
b La pasta y el arroz

8 Las ensaladas son buenas porque:
a Son bajas en calorías y altas en vitaminas
b Son altas en grasas

 2 Escucha la cinta para corregir tus respuestas.
(Listen to the tape to correct your answers.)

Una cena festiva

Los conquistadores españoles y los piratas
ingleses introducen las patatas en Europa.

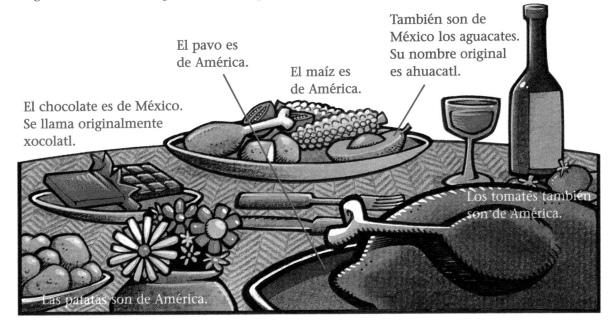

El pavo es
de América.

El maíz es
de América.

También son de
México los aguacates.
Su nombre original
es ahuacatl.

El chocolate es de México.
Se llama originalmente
xocolatl.

Los tomates también
son de América.

Las patatas son de América.

¿Qué tienen en común el
chocolate, el chicle y las patatas?

El chocolate, el chicle y las patatas son
originalmente de Latinoamérica.

3 Trabaja con tu pareja. Haz preguntas:

ejemplo

¿Te gusta el chocolate/el chicle?

¿Te gustan los tomates/las patatas?

4 Trabaja con tu pareja. Haz las siguientes preguntas:

ejemplo

¿De dónde es el chocolate/el chicle?

¿De dónde son los
tomates/las patatas?

Es de .....

Son de ......

RESUMEN

Now you can:

- say that you are (or are not) hungry and thirsty Tengo hambre. No tengo sed.
- ask someone if he/she is hungry or thirsty and what he/she would like
  ¿Tienes hambre? ¿Tienes sed? ¿Qué quieres tomar? ¿Qué quieres comer?
  ¿Quieres una hamburguesa?
- say what you want to eat and drink and order a meal
  Quiero un helado. Para mí un bocadillo de jamón. Nada más.
- say what food and drink is or is not available Hay helados. No hay pan.
- ask for the bill La cuenta, por favor. ¿Cuánto es?
- understand the bill 2.000 pesetas en total.
- ask someone what is wrong and if a part of his/her body is hurting
  ¿Qué pasa? ¿Te duele el estómago? ¿Te duelen los pies? ¿Qué te duele?
- tell someone that a part of your body is hurting you Me duelen las muelas.
- tell someone that you don't feel well No me siento bien. Me siento mal.
- say what you have at different mealtimes Desayuno tostadas y café con
  leche. Para comer tomo un bocadillo, un paquete de patatas fritas y fruta.
- ask what your friend eats ¿Qué tomas para desayunar? ¿Qué cenas?
- ask and say where different foods are from ¿De dónde son las naranjas?
  Son de España.

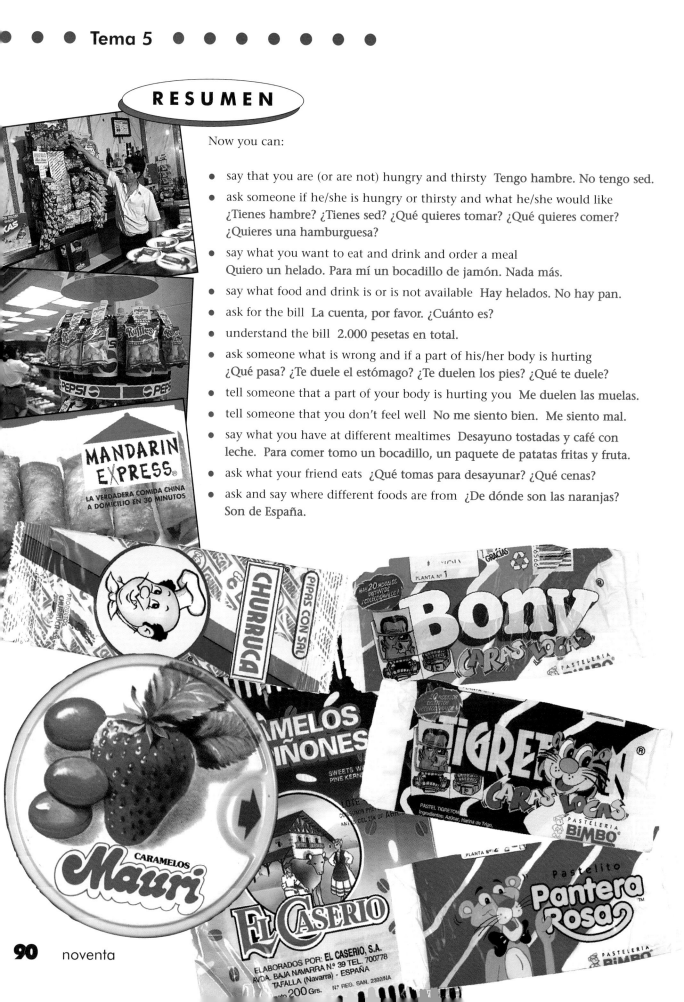

PREPÁRATE

A ESCUCHA

1 ¿Qué helados hay?

A   B   C   D   E   F   G   H

2 Escucha la cinta y elige los números correctos.

1 a 100   **b** 75   **c** 70
2 a 1.000   **b** 850   **c** 500
3 a 3.000   **b** 3.500   **c** 300
4 a 1.000   **b** 15.000   **c** 10.500

B HABLA

1 Trabaja con tu pareja. Mira los dibujos y contesta la pregunta.

¿Qué te pasa?

Me duele/Me duelen .....

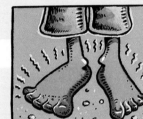 

C LEE

1 Completa el diálogo con las palabras apropiadas.

- ¿Oye, qué te pasa?

- Tengo mucha (1) ....

- Vamos a comer algo.

- ¿Qué quieres (2) ....?

- Quiero (3) ....¿Y tú?

- Para mí un bocadillo de (4) ....

-¿Y para beber?

- Una (5) ....

- ¿Algo más?

- No, (6) .... más, gracias.

| Coca Cola | jamón | hambre | comer | una hamburguesa | nada |

D ESCRIBE

1 Escribe dos menús: **a** Un desayuno nutritivo.

b Una cena vegetariana.

1 Ponte a la moda

1a Escucha la cinta y mira los modelos. Identifícalos.
(Listen to the tape and look at the models. Identify them.)

a Jersey gris (5.900 ptas) y pantalón de lycra (4.900 ptas)

b Chaqueta (17.900 ptas) y camiseta (2.000 ptas)

d Camisa estampada de algodón (5.500 ptas) y pantalones marrones

c Falda (8.900 ptas) y camisa (5.900 ptas)

SOCORRO

la camisa - *shirt*	la falda - *skirt*	el gorro - *cap*	el vestido - *dress*
la camiseta - *T-shirt*	el chaleco - *waistcoat*	las botas - *boots*	los pantalones - *trousers*
la chaqueta - *jacket*	el jersey - *jumper*	las medias - *stockings*	los vaqueros - *jeans*
			los zapatos - *shoes*

e Ella, chaqueta canadiense
(14.900 ptas) y vestido (9.900 ptas).
Él, chaqueta cazadora (15.900 ptas)

f Camisa de pana (5.900 ptas);
camisa estampada (5.900 ptas)
y falda (8.900 ptas)

g Jersey (5.900 ptas);
falda (8.900 ptas)
y rebeca gris
(9.900 ptas)

1b Elige modelos y describe la ropa con tu pareja.

ejemplo

¿Te gusta el jersey?

Sí, me gusta mucho

¿Por qué?   Porque es grande.

¿Te gustan los pantalones?

No, no me gustan nada.

¿Por qué?   Porque son cortos.

Es	largo/larga corto/corta amarillo/amarilla marrón pequeño/pequeña grande elegante feo/fea bonito/bonita
Son	largos/largas cortos/cortas amarillos/amarillas marrones pequeños/pequeñas grandes elegantes feos/feas bonitos/bonitas
Está/Están	de moda

2 Ponte a la moda. Mira los modelos y elige ropa para tu pareja.

ejemplo

Ponte los pantalones.

No me gustan, son feos.

Ponte la chaqueta.

Me gusta mucho, está de moda.

¿Qué me pongo?

1a Escucha la cinta.

Elena se pone unos pantalones.

¿Y tus zapatos?

No están de moda.

¿Te gustan mis pantalones? Me están bien, ¿no?

Ay no, Elena, son muy feos.

¿Estoy a la moda?

Y te están grandes.

¡Su chaqueta es horrible!

¿Qué me pongo?

¡Y sus calcetines son horrorosos!

Vamos de compras.

Buena idea.

1b Pregunta a tu pareja lo que se pone cada persona en los dibujos.
(Ask your partner what each person is wearing in the drawings.)

ejemplo

¿Qué se pone Juan en el dibujo 11? Se pone una chaqueta y unos calcetines.

G R A M Á T I C A

In Spanish, when you talk about an object that belongs to you, you have to make the word that links the object to you - the possessive adjective - agree with that object, e.g.:

mi camisa mis camisas   tu falda tus faldas   su jersey sus jerseys

¿Qué te pones para ir al colegio?

1a Escucha la cinta. ¿De qué países son estos uniformes de colegio?
(Listen to the tape. From which countries are these school uniforms?

A   B   C   D

1b Describe los uniformes a tu pareja.

ejemplo

¿Cómo es el uniforme en Costa Rica?

Es una falda o unos pantalones azules y una camisa blanca.

1c Escribe una descripción de la ropa que te pones para ir al colegio.
(Write a description of what you wear to school.)

2 Lee las cartas y contesta las preguntas.

¿Qué tal?

Me llamo Isabel.

Vivo en Valencia. Los fines de semana me pongo unos vaqueros y un jersey pero si voy a una fiesta me pongo unas botas y mi vestido favorito, un vestido negro muy largo.

Soy Carlos. Tengo 15 años. Para salir con mis amigos me gusta ponerme mis vaqueros negros y una chaqueta de cuero. Me gusta jugar al baloncesto y si voy al polideportivo me pongo pantalones cortos, una camiseta y unas zapatillas deportivas Nike.

Hola.

Me llamo Manuel. Soy mexicano. Los fines de semana tengo que trabajar en un supermercado. Me pongo uniforme azul y botas marrones. Pero por las tardes si voy a una discoteca, por ejemplo, me pongo pantalones de colorines, una camiseta y una chaqueta. Y tú ¿qué te pones los fines de semana?

a ¿Quién se pone uniforme los sábados y domingos?

b ¿Qué se pone Carlos para jugar al baloncesto?

c ¿Cómo es el vestido favorito de Isabel?

3 Escucha la cinta y empareja los dibujos con las descripciones.

④ De compras

1a Escucha la cinta.

1b Lee la tira cómica con tu pareja.

G R A M Á T I C A

este vestido ese vestido

estos vestidos esos vestidos

 esta camisa esa camisa

estas camisas esas camisas

 2a Escucha la cinta. ¿Cuál prefieren, **a** o **b**?

1   **a**   Este vestido
      b   Ese vestido

2   **a**   Esta camisa
      b   Esa camisa

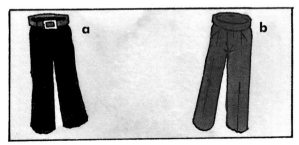

3   **a**   Estos vaqueros
      b   Esos vaqueros

4   **a**   Estas zapatillas deportivas
      b   Esas zapatillas deportivas

2b Mira los dibujos y pregunta a tu pareja.

ejemplo

> ¿Prefieres estos vaqueros o ésos?

> Prefiero ésos.

Mini test

- Ask someone if he/she likes an item of clothing
- Say if you like an item of clothing and why
- Ask someone to describe an item of clothing
- Describe an item of clothing
- Ask someone what you should wear
- Tell someone if an item of clothing is too big, small, ugly, etc
- Say what someone puts on
- Describe what you wear to go somewhere
- Compare two items of clothing

5 ¿Cuánto cuesta?

1a Escucha la cinta.
Empareja los precios con la ropa.

88 **1b** Pregunta a tu pareja.

ejemplo

¿Cuánto cuesta la camisa blanca?

Cuatro mil novecientas noventa y nueve pesetas.

¿Cuánto cuestan las zapatillas deportivas?

Ocho mil seiscientas noventa y siete pesetas.

Guía de números

Zapatos

Reino Unido	2	3	4	5	6	7	8	9	10
España	35	36	37	38	39	40	41	42	43

Tallas

Reino Unido	6	8	10	12	14	16
España	34	36	38	40	42	44

2a Escucha la cinta.
¿De quién son estos zapatos?

89

A — 39
B — 36
C — 37
D — 41
E — 42

MARTÍN   MARISA   BERNARDO   BEGOÑA

2b Escucha la cinta. ¿De quién es esta ropa?

89

MARTÍN   MARISA   BERNARDO   BEGOÑA

A — 34
B — 44
C — 34
D — 32
E — 36

89 **2c** Encuesta. Pregunta a tu clase.

ejemplo

¿Cuáles son los números y las tallas más corrientes?

¿Qué número usas?   El 38.   ¿Qué talla tienes?   La 38.

⑥ En la verbena

 1 Escucha la cinta y escribe las letras de las preguntas que oyes.
(Listen to the tape and write the letters of the questions you hear.)

a	¿Quieres bailar?	**h**	¿Qué te gusta hacer en tu tiempo libre?
b	¿Cómo te llamas?	**i**	¿Te gusta el deporte?
c	¿De dónde eres?	**j**	¿Qué deporte practicas?
d	¿Dónde vives?	**k**	¿Te gustan los animales?
e	¿Cuántos años tienes?	**l**	¿Tienes hermanos?
f	¿Qué tipo de música prefieres?	**m**	¿Cuándo es tu cumpleaños?
g	¿Quién es tu cantante preferido?	**n**	¿Te gusta la música?

 2 Escucha la cinta otra vez y decide si son ciertas o falsas las frases.
Corrige las frases falsas.

a	Se llama Alejandro.	**c**	Practica el hockey.
b	Es de Barcelona	**d**	No quiere bailar porque le duele la pierna.

3 Trabaja con tu pareja. Elige ocho preguntas de la lista. Pregunta y contéstalas.

4 Mira las respuestas y luego escribe la pregunta apropiada para cada una.

Vivo en Altea.   Practico la natación.
Tengo 15 años.   Sí, tengo dos hermanos.
Me gusta la música soul.   Mi asignatura preferida es ciencias.

5 ¿Eres una persona sociable? ¿Caes bien a la gente?
Vamos a ver.
Completa las frases para decirlas a tu pareja.

Un test

a ¡Qué.....................eres!

b Eres muy.....................

c ¡Qué.........................más bonitos tienes!

d Me encanta el color de tu(s).........................

guapo/guapa

feo/fea   bajo/baja

alto/alta

aburrido/aburrida   ojos

pelo

simpático/simpática

inteligente

delgado/delgada

piernas   divertido/divertida

rodillas   orejas   dientes

manos   gordo/gorda

pies

¿Cómo reacciona tu pareja a tus frases? ¿Está contento/contenta o no?

7 ¡Muévete!

 1a Escucha la cinta.

¿Bailamos el tango?

No sé cómo.

Te enseño el paso básico, ven.

Levanta el brazo.

Empieza con los pies juntos.

Mueve el pie derecho atrás

Pon el pie izquierdo enfrente del pie derecho...

... y cruza el pie derecho a la derecha.

Mueve el pie derecho al lado del pie izquierdo.

Pon el pie izquierdo al lado del pie derecho ... ¡Muy bien! Y empieza otra vez.

SOCORRO

¿bailamos? - *shall we dance?*
te enseño - *I'll show you*
levanta - *lift*
empieza - *begin*
juntos - *together*
mueve - *move*

derecho - *right*
atrás - *backwards*
izquierdo - *left*
otro - *other*
cruza - *cross*
delante - *forward*
pasa - *pass*

eso es - *that's it*
pon - *put*
enfrente - *in front*
al lado de - *next to*
otra vez - *again*
el suelo - *floor*
el aire - *air*

92 **1b** Lee las instrucciones a tu pareja y ¡aprende a bailar el tango! *(Read the instructions to your partner and learn to dance the tango!)*

Mueve el pie izquierdo a la izquierda del otro pie.

5

Cruza el pie derecho por delante.

6

Pasa el pie izquierdo delante del derecho ... eso es.

2 Juega el giro con tus amigos. Una persona a la vez elige las instrucciones.

GRAMÁTICA

Asking people to do things...

	Someone you know well	Someone you don't know so well
Empezar	Empieza	Empiece
Mover	Mueve	Mueva
Cruzar	Cruza	Cruce
Venir *	Ven	Venga
Levantar	Levanta	Levante
Poner *	Pon	Ponga
Mirar	Mira	Mire

* These are irregular verbs.

1	2	3	4	5
Levanta	el pie	derecho	a la derecha	del otro pie
Mueve	los pies	izquierdo	a la izquierda	de la otra mano
Cruza	la mano	derecha	juntos	del otro brazo
Pasa	las manos	izquierda	por delante	de la otra pierna
Pon	el brazo		al lado	de la espalda
	los brazos		enfrente	de la cabeza
	la pierna		atrás	del estómago
	las piernas		en el suelo	
	la espalda		en el aire	
	la cabeza			
	el estómago			

¡GIRO!

8 España de fiesta

 1 Escucha la cinta y lee.

España celebra una fiesta cada 20 minutos

En España hay muchas fiestas, posiblemente más de 25.000 durante el año. Tienen sus orígenes en la religión, la historia, la agricultura y la pesca. Casi todas las fiestas incluyen música, baile, trajes típicos o especiales, comida y mucha alegría. Aquí hablamos de algunas de las fiestas más importantes.

Día de Reyes

En España es una tradición dar regalos el Día de Reyes, que es el 6 de enero. Los niños creen que los Reyes Magos traen los regalos.

Carnaval

Carnaval se celebra en febrero o marzo. Hay fiestas en todas partes de España pero las de Cádiz y las Islas Canarias son espectaculares.

Semana Santa

La semana antes de Pascua se llama 'Semana Santa'. Es una fiesta religiosa y se celebra por toda España.

La Feria de abril

La Feria de abril es en Sevilla. Hay flamenco, corridas de toros, caballos, señoritas con vestidos de colores fabulosos y hombres con trajes negros tradicionales.

La Romería del Rocío

En junio mucha gente va a pie o a caballo desde Cádiz, Sevilla y Huelva hasta al santuario de la Virgen del Rocío.

San Fermín

El 7 de julio empieza una semana de fiestas en Pamplona. Los toros y los jóvenes corren por las calles de la ciudad. Es peligroso porque los toros son bravos y fuertes.

> ## SOCORRO
> el regalo - *present*
> creer - *to believe*
> traer - *to bring*
> la corrida de toros - *bullfight*
> el toro - *bull*
> correr - *to run*
> peligroso - *dangerous*
> bravo - *fierce*

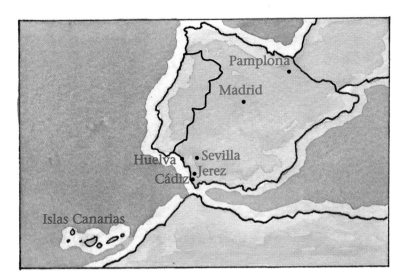

2 Lee las tarjetas. ¿En qué parte de España están las personas que escriben las tarjetas?

Querido papá
Ya sabes lo que dice la canción ...
es el 7 de julio, así que aquí estoy
para pasar toda una semana de
fiesta. Pero tranquilo... estoy en
forma y corro muy rápido así no
voy a tener problemas con los toros.
Besos Juan

1030 Bill Beck Blv.,
Kissimmee, FL 34744,
ESTADOS UNIDOS.

¡Hola amigos!
Estamos todos de fiesta. Mañana
voy a una corrida de toros. Es cierto
que la feria es fenomenal. Los trajes
típicos y los vestidos
son fabulosos.
Saludos Alicia

San Fernando Piso 8,
Apart. 4A, Santa
Paula. Caracas,
VENEZUELA

3 Imagina que vas a una fiesta en España. Escribe una tarjeta a tus padres o a tus amigos.

G R A M Á T I C A

In Spanish there are two verbs meaning 'to be':

Estar is for describing position and temporary conditions.
– Estoy de vacaciones.
– Estamos todos de fiesta.

Ser is for describing permanent, unchanging things.
– Semana Santa es una fiesta religiosa.
– Los toros son fuertes.

4 Escucha la canción popular de las fiestas de San Fermín.

Uno de enero,
dos de febrero,
tres de marzo,
cuatro de abril,
cinco de mayo,
seis de junio,

siete de julio, San Fermín.
A Pamplona hemos de ir,
con una bota, con una bota.
A Pamplona hemos de ir,
con una bota y un calcetín.

RESUMEN

Now you can:

- ask someone if he/she likes an item of clothing   ¿Te gusta el jersey?

- talk about items of clothing and say why you like them   Me gusta la falda negra porque es corta. Las botas son grandes. No me gustan, son feas. La chaqueta está de moda.

- ask someone to describe an item of clothing   ¿Cómo son los zapatos?

- ask someone what to wear   ¿Qué me pongo?

- ask someone if an item of clothing fits you and if an item fits him/her.   ¿Me está bien? ¿Me están grandes? ¿Te están pequeñas?

- tell someone if an item of clothing fits you and if it fits him/her   Me está grande. Te están pequeños.

- talk about items belonging to you and other people   Mi camisa. Tus vaqueros.

- ask someone what he/she wears to go to different places and on different occasions ¿Qué te pones para ir al colegio? ¿Qué te pones los fines de semana?

- describe what you wear to go to different places and on different occasions Para ir a trabajar me pongo uniforme. Los fines de semana me pongo vaqueros y una camiseta.

- ask how much an item of clothing costs   ¿Cuánto cuestan estas botas?

- ask someone what size he/she is   ¿Qué número usas? ¿Qué talla tienes?

- say what size you are   El 42. La 36.

- ask someone if he/she prefers one of two items of clothing and say which you prefer ¿Prefieres esta chaqueta o ésa? No me gusta ésa.

- tell someone to move parts of his/her body in a particular direction   Mueve el pie derecho a la izquierda. Cruza los brazos. Pasa la mano enfrente de la otra mano.

PREPÁRATE

A ESCUCHA

1 Escucha la cinta y elige la ropa apropiada para cada persona.

a  **b**   **c**  **d**  **e** 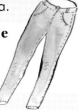 **f**

B HABLA

1 Trabaja con tu pareja. Pregunta y contesta:

¿Qué te pones los fines de semana?

¿Qué te pones para ir al instituto?

¿Qué te pones para ir a una fiesta?

2 Trabaja con tu pareja. ¿Cuánto cuesta la ropa en los dibujos? Pregunta y contesta por turnos.

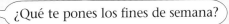

 **4.500 ptas**   **5.800 ptas**   **1.500 ptas**

C LEE

1 Empareja las preguntas con las repuestas correctas.

1 ¿Te gustan los pantalones o prefieres los vaqueros?
2 ¿Cómo es el vestido?
3 ¿Qué te pones para ir a la fiesta?
4 ¿Te están pequeños los zapatos?
5 ¿Cuánto cuesta el jersey negro?

a Cuesta tres mil pesetas.

c No, me están grandes.

b Prefiero los vaqueros.

d Me pongo vaqueros y una camiseta.

e Me está muy bien.

2 Elige la instrucción correcta para cada dibujo.

Cruza los brazos.

Levanta la mano enfrente.

Mueve el pie derecho.

D ESCRIBE

1 Escribe tres frases sobre tu ropa preferida. Aquí hay unos ejemplos para ayudarte:

Tengo un jersey que me gusta mucho porque.......... es negro/está de moda/es elegante.
Tengo unos vaqueros que me gustan porque.......... son viejos/son cómodos/me están muy bien.
Tengo una chaqueta que me encanta porque.......... me está grande/es azul/es práctica.

Resumen de gramática - Grammar summary

Nouns

Nouns in Spanish are either masculine or feminine:

masculine	feminine
libro	silla
chico	chica
instituto	clase

Add an 's' to make nouns plural in most cases: libros, sillas, chicos, chicas, institutos, clases.

For nouns that end in a consonant add 'es' to make the plural:

singular	plural
examen	exámenes
lápiz	lápices
salón	salones
profesor	profesores
pez	peces

Some words gain or lose an accent in the plural and words ending in 'z' in the singular change the 'z' to a 'c' then add 'es' for the plural, eg: **lápiz, lápices, pez, peces.**

Articles
Definite articles
The word for 'the' changes according to whether the noun is masculine, feminine or plural:

masculine	plural	feminine	plural
el amigo	los amigos	la amiga	las amigas

Indefinite articles
Similarly the words for 'a', 'an' and 'some' also change:

masculine	plural	feminine	plural
un chico	unos chicos	una chica	unas chicas

Adjectives
Adjectives agree with the noun they describe so they have masculine, feminine and plural forms too:

masculine	plural	feminine	plural
pequeño	pequeños	pequeña	pequeñas
alto	altos	alta	altas
el gato pequeño	los chicos altos	la chica alta	las casas pequeñas

They add an 's' to become plural as you can see in the examples above.
Many adjectives end in 'o' for the masculine form and 'a' for the feminine, but there are some exceptions, for example:

masculine	plural	feminine	plural
grande	grandes	grande	grandes
difícil	difíciles	difícil	difíciles
inteligente	inteligentes	inteligente	inteligentes

Possessive adjectives

The words for 'my', 'your', 'his', and 'her' are the same for both masculine and feminine and they add an 's' to become plural:

singular		*plural*	
mi perro	my dog	mis perros	my dogs
tu gato	your cat	tus gatos	your cats
su ratón	his/her mouse	sus ratones	his/her mice

Demonstrative adjectives

The words for 'this', 'these', 'that', and 'those' agree with the nouns they describe:

masculine	*plural*	*feminine*	*plural*
este jersey	estos jerseys	esta falda	estas faldas
ese vestido	esos vestidos	esa camiseta	esas camisetas

Numbers

The number one and other numbers ending in one agree with the noun they describe. Other numbers do not agree.

0	cero	22	veintidós	136	ciento treinta y seis
1	uno (m) una (f)	23	veintitrés	200	doscientos (m)
2	dos	24	veinticuatro		doscientas (f)
3	tres	25	veinticinco	300	trescientos (m)
4	cuatro	26	veintiséis		trescientas (f)
5	cinco	27	veintisiete	400	cuatrocientos (m)
6	seis	28	veintiocho		cuatrocientas (f)
7	siete	29	veintinueve	500	quinientos (m)
8	ocho	30	treinta		quinientas (f)
9	nueve	31	treinta y uno (treinta y una)	600	seiscientos (m)
10	diez	32	treinta y dos		seiscientas (f)
11	once	40	cuarenta	700	setecientos (m)
12	doce	50	cincuenta		setecientas (f)
13	trece	60	sesenta	800	ochocientos (m)
14	catorce	70	setenta		ochocientas (f)
15	quince	80	ochenta	900	novecientos (m)
16	dieciséis	90	noventa		novecientas (f)
17	diecisiete	100	cien, ciento	1000	mil
18	dieciocho	101	ciento uno (ciento una)	1002	mil dos
19	diecinueve	102	ciento dos	2000	dos mil
20	veinte	110	ciento diez	5000	cinco mil
21	veintiuno (veintiuna)	125	ciento veinticinco	10000	diez mil

Question words

In Spanish questions start and finish with a question mark.
The one at the beginning of the question is upside down:

¿Dónde vives?   ¿Cuántos años tienes?

Words for asking questions have accents:

¿Cómo te llamas?   ¿Cuánto es?   ¿Cuál es tu color favorito?
¿Cuándo es tu cumpleaños?   ¿De qué nacionalidad eres?   ¿Dónde está mi mochila?

Some of these words change to agree with plural nouns, for example:

¿Cuántos años tienes?   ¿Cuáles son tus asignaturas favoritas?
¿Cuántas hermanas tienes?   ¿Quiénes son esos chicos?

Verbs

There are three verb endings for regular verbs: **ar**, **er**, **ir**. They all follow the same pattern:

hablar	to speak	comer	to eat	vivir	to live
hablo	I speak	como	I eat	vivo	I live
hablas	you speak	comes	you eat	vives	you live
habla	he/she/it speaks, you (polite form) speak	come	he/she/it eats, you (polite form) eat	vive	he/she/it lives, you (polite form) live
hablamos	we speak	comemos	we eat	vivimos	we live
habláis	you speak	coméis	you eat	vivís	you live
hablan	they speak, you (polite form) speak	comen	they eat, you (polite form) eat	viven	they live, you (polite form) live

The familiar form

You use the second person of the verb when you are talking to friends, relations and children. If you are talking to one person in this familiar form you use the **tú** form:

Hablas español muy bien.   ¿Qué comes para el desayuno?   ¿Dónde vives?

If you are talking to more than one person in the familiar form you use the second person plural:

¿Habláis inglés y español?   ¿A qué hora coméis?   ¿Vivís en Barcelona?

The polite form

When you are talking to an adult who is not a close friend or relative you use the polite form, **usted** or **ustedes** (often abbreviated to **Ud/Vd, Uds/Vds**). For example:

Puede repetir, por favor.   ¿Cómo se llama Ud?   ¿Qué quieren tomar?
¿Tiene un libro?   ¿Dónde viven Uds?   ¿Qué van a comer?

Irregular verbs

Some verbs do not follow the regular pattern. They are called irregular verbs.

ir	to go	salir	to go out	ser	to be
voy	I go	salgo	I go out	soy	I am
vas	you go	sales	you go out	eres	you are
va	he/she/it goes, you (polite form) go	sale	he/she/it goes out, you (polite form) go out	es	he/she/it is, you (polite form) are
vamos	we go	salimos	we go out	somos	we are
vais	you go	salís	you go out	sois	you are
van	they go, you (polite form) go	salen	they go out, you (polite form) go out	son	they are, you (polite form) are

tener	to have	hacer	to do, to make	estar	to be
tengo	I have	hago	I do	estoy	I am
tienes	you have	haces	you do	estás	you are
tiene	he/she/it has, you (polite form) have	hace	he/she/it makes, you (polite form) make	está	he/she/it is, you (polite form) are
tenemos	we have	hacemos	we make	estamos	we are
tenéis	you have	hacéis	you make	estáis	you are
tienen	they, you (polite form) have	hacen	they make, you (polite form) make	están	they are, you (polite form) are

There are two verbs meaning 'to be': **ser** and **estar**.

Ser is for describing permanent, unchanging things:

¿De qué nacionalidad eres?   Soy española.   Mi casa es grande.

Estar describes positions and temporary conditions:

Estoy de vacaciones.   ¿Dónde está mi chaqueta?
Estos vaqueros me están grandes.   Sevilla está en el sur de España.

Radical changing verbs

Other verbs follow a pattern in which the middle letters change:

jugar	to play	querer	to want, to love	preferir	to prefer
juego	I play	quiero	I want	prefiero	I prefer
juegas	you play	quieres	you want	prefieres	you prefer
juega	he/she/it plays, you (polite form) play	quiere	he/she/it wants, you (polite form) want	prefiere	he/she/it prefers, you (polite form) prefer
jugamos	we play	queremos	we want	preferimos	we prefer
jugáis	you play	queréis	you want	preferís	you prefer
juegan	they play, you (polite form) play	quieren	they want, you (polite form) want	prefieren	they prefer, you (polite form) prefer

Reflexive verbs

Reflexive verbs include the words **me**, **te**, **se**. For example:

Me llamo Patricia.   ¿Qué te pones para ir a la fiesta?
¿Cómo te llamas?   Me pongo esta chaqueta.
Mi hermana se llama Isabel.   Pedro se pone vaqueros y una camiseta.

Imperatives

There are different forms of the verb for giving commands, according to familiar
and polite forms, negative and affirmative statements. They might seem complex
at first, but do not worry. You will learn all the different forms as they occur.
Here are examples of several familiar imperatives you have found in **¡Arriba!** already:

Mira la página 7. (**tú** - i.e. talking to one person)
Mirad la página 7. (**vosotros** - talking to more than one person in the familiar form
                    e.g. the teacher talking to the class)

Siéntate/sentaos.   Sit down.
Abre/abrid los libros.   Open your books.
Escucha/escuchad la cinta.   Listen to the tape.
Escribe/escribid las respuestas en el cuaderno. Write the answers in your exercise book.

Vocabulario español – inglés

A

abrid - open (you plural, familiar form)
abril - April
abrir - to open
la abuela - grandmother
el abuelo - grandfather
los abuelos - grandparents
aburrido/a - boring
de acuerdo - I agree/OK
adiós - goodbye
¿adónde vamos? - where shall we go?
adorar - to love
adoro - I love
el aeróbic - aerobics
en las afueras de - in the suburbs of
ágil - agile
agosto - August
agradable - pleasant
el agua (f) - water
el aguacate - avocado
ahora - now
en el aire - in the air
el álbum de fotos - photograph album
la alegría - happiness
alemán/alemana - German
Alemania - Germany
¿algo más? - anything else?
algunos/as - some
alquilar - to hire
alto/a - tall
el/la alumno/a - pupil
amarillo/a - yellow
el/la amigo/a - friend
antes - before
antiguo/a - old
el apellido - surname
el apetito - hunger/appetite
el árbol familiar - family tree
Argentina - Argentina
arreglar - to arrange
el arroz - rice
artístico/a - artistic
el aseo - toilet
la asignatura - subject
el astronave - spaceship

el ático - attic
atrás - behind; backwards
el aula - classroom
ausente - absent
australiano/a - Australian
el autobús - bus
el avión - aeroplane
los aztecas - Aztecs
azul - blue

B

¿bailamos (el tango)? - shall we dance (the tango)?
bailar - to dance
bajo/a - short
el balcón - balcony
el baloncesto - basketball
el barco - boat
el barrio - district (of a town)/suburb
la batalla - battle
el batido - milkshake
beber - to drink
Bengala - Bengal
bengalí - Bengali
la biblioteca - library
la bicicleta - bicycle
bien - well
el billete - banknote; ticket
blanco/a - white
el bocadillo - sandwich
el bolígrafo - biro
la bolsa - bag
bonito/a - pretty
la bota - boot; wineskin
bravo/a - fierce
el brazo - arm
¡qué bruto! - what an animal!
buena idea - good idea
buenas tardes - good afternoon/ good evening
bueno/a - good
buenos días - hello; good morning
el burro - donkey
busca - find/look for
buscar - to find/look for

C

el caballo - horse
la cadena - TV channel
¿caes bien a la gente? - do you get on well with people?
el café - coffee; cafe
el café con leche - white coffee
el café solo - black coffee
la cafetería - cafe
el caimán - alligator
el calcetín - sock
los calcetines - socks
el cambio - change
caminar - to walk
la camisa - shirt
la camiseta - blouse/T-shirt
en el campo - in the countryside
el campo de fútbol - football pitch
Canadá - Canada
canadiense - Canadian
el canal - TV channel
¿en qué canal? - on which channel?
la cancha de fútbol - football pitch
el carnaval - carnival
la casa - house; home
castaño/a - brown
catorce - fourteen
celebrar - to celebrate
la cena - evening meal/ dinner
el centro - centre
el centro juvenil - youth centre
Centroamérica - Central America
cerca del mar - by the sea
cero - zero
cerrar - to close
el ciclismo - cycling
cien - one hundred
la ciencia ficción - science fiction
las ciencias - science
ciento diez - one hundred and ten

cierra - (you) close
cierto/a - true
cinco - five
cincuenta - fifty
el cine - cinema
la ciudad - city/town
claro - of course
la clase - class/classroom
el coche - car
la cocina - kitchen
el colegio - school, college
el color - colour
de colorines - brightly-coloured
comer - to eat
comes - you eat
¿qué comes? - what do you eat? what are you eating?
la comida - lunch; meal
como - I eat
¿cómo? - how?
¿cómo es tu escuela? - what is your school like?
¿cómo se dice...? - how do you say...?
¿cómo se llama? - what is he/she/it called?
¿cómo te llamas? - what is your name?
¿cómo vas a ...? - how do you go to ...?
comprar - to buy
el concurso - games show
el cóndor - condor
el conejo - rabbit
contaminado/a - polluted
contestar - to ask
el corral - farmyard
la corrida de toros - bullfight
corto/a - short
creen - they believe
cruce - cross (you, polite form)
cruza - cross (you, familiar form)
cruzar - to cross
el cuaderno - exercise book
¿cuál? - which?
¿cuándo? - when?

¿cuándo es tu cumpleaños? - when is your birthday?
¿cuánto cuesta...? - how much does ... cost?
¿cuántos años tienes? - how old are you?
cuarenta - forty
el cuarto de baño - bathroom
cuatro - four
cuatrocientas - four hundred
la cucaracha - cockroach
la cuenta - the bill
el cuero - leather; hide/skin
cuesta - (it) costs
el cumpleaños - birthday

CH

la chabola - shack
el chaleco - waistcoat
el chalet - country house
la chaqueta - jacket
la chica - girl
el chicle - chewing gum
el chico - boy
el chocolate - chocolate
el chorizo - chorizo sausage

D

dar (regalos) - to give (presents)
deber - to owe
me debes - you owe me
los deberes - homework
delgado/a - slim
el deporte - sport
¿qué deporte practicas? - which sport do you play?
el/la deportista - sportsman/sportswoman
derecho/a - right
el desayuno - breakfast
describe - describe
describir - to describe
el despacho - study
después - after
el Día de Reyes - Epiphany (6th January)
el dibujo - drawing/art
los dibujos animados - cartoons

diciembre - December
diecinueve - nineteen
dieciocho - eighteen
dieciséis - sixteen
diecisiete - seventeen
el diente - tooth
diez - ten
¿diga? - hello (telephone answer)
Dinamarca - Denmark
dinámico/a - dynamic
el dinero - money
la dirección - address
divertido/a - amusing/funny
doce - twelve
dócil - tame
doler - to hurt
el domicilio - address
el domingo - Sunday
¿dónde? - where?
¿dónde nos encontramos? - where shall we meet?
¿dónde vives? - where do you live?
el dormitorio - bedroom
dos - two
doscientas - two hundred
dramático/a - dramatic
me duele la cabeza - I have a headache
me duelen las muelas - I have toothache

E

e - and
la edad - age
la educación física - PE
el ejemplo - example
elegante - elegant
empezar - to start
empiece - start (you, polite form)
empieza - it starts
empieza - start (you, familiar form)
me encanta - I like
encontrarse - to meet
enero - January

enfrente de - in front of
la ensalada - salad
la ensalada de frutas -
fruit salad
enseñar - to show/teach
te enseño - I will show/
teach you
entiendo - I understand
no entiendo - I don't
understand
entonces - then/in that
case
la entrada - entrance; ticket
la entrevista - interview
la equitación - horse riding
eres - you are (familiar
form)
es - it/he/she is
es - you are (polite form)
es la una - it is one o'clock
escocés/escocesa - Scottish
Escocia - Scotland
escribir - to write
escribe - write (you,
familiar form)
escribid - write (you plural,
familiar form)
escuchad - listen (you
plural, familiar form)
la escuela - school
la escuela femenina -
all girls' school
la escuela masculina -
all boys' school
ese/esa - that
eso es - that's it
esos/esas - those
la espalda - back
España - Spain
español/a - Spanish
espera - he/she waits
espera un momento -
wait a moment
esperar - to wait
esperas - you wait
espero - I wait
el esquí - skiing
esta - this
está - he/she/it is
está - you are (polite form)
está bien - (that's) OK

me está bien - it suits me
está cerrado/a - it is closed
está de moda -
it is fashionable
está en el norte -
he/she/it is in the north
los Estados Unidos -
the United States
estadounidense - American
estamos todos de fiesta -
we are all celebrating
estar - to be
estás - you are
(familiar form)
el este - east
este - this
Estocolmo - Stockholm
el estómago - stomach
estos/estas - these
el/la estudiante - student
estudiar - to study
¿qué te gusta estudiar? -
what do you like
to study?
estupendo/a -
great/wonderful
estúpido/a - stupid
¡qué exagerado! - you are
over the top

F

fácil - easy
la falda - skirt
falta - it is missing
falso/a - false
faltar - to be missing
la familia - family
fatal - terrible/awful
favorito/a - favourite
febrero - February
la fecha - date
femenino/a - female
fenomenal - great
feo/a - ugly
feroz - wild
la fiesta - party/festival
el filete - steak
el fin de semana - weekend
la flor - flower
forrado - covered with

formal - formal
francés/francesa - French
Francia - France
la fresa - strawberry
el fútbol - football

G

Gales - Wales
galés/galesa - Welsh
la garganta - throat
el gato - cat
genial - wonderful/brilliant
la geografía - geography
la goma de borrar - rubber
gordo/a - fat/plump
el gorro - cap
gracias - thank you
el gráfico - graph
Gran Bretaña - Great
Britain
grande - big
la granja - farmhouse
Grecia - Greece
griego/a - Greek
gris - grey
el grupo - group/band
guapo/a - good-looking
la guía - guide
la guía de números -
guide to sizes
la guitarra - guitar
me gusta(n)... - I like...
¿Te gusta(n)...? - Do you
like...?

H

la habitación - room
¡ni hablar! - no way!
hacer - to do
hacer el papel de -
to play the role of
la hacienda - large farm
hago... - I do...
no hago nada - I don't do
anything
el hambre (f) - hunger
la hamburguesa - hamburger
la hamburguesería -
hamburger bar
hasta - down to

hasta la vista - goodbye; see you later
hasta luego - goodbye
hasta mañana - see you tomorrow
hay - there is/are
no hay - there is no/ there are no
la heladería - ice-cream parlour
el helado - ice-cream
la hermana - sister
la hermanastra - halfsister/ stepsister
el hermanastro - halfbrother/ stepbrother
el hermano - brother
los hermanos - brothers/ brother(s) and sister(s)
el hierro - iron
la hija única - only daughter/ child
el hijo único - only son/child
hispano/a - Spanish- speaking
la historia - history
hola - hello
la hora - time; hour
¿qué hora es? - what time is it?
¿a qué hora ponen...? - what time is ...on?
¿a qué hora tienes...? - at what time do you have...?
¿a qué hora quedamos? - when shall we meet?
hoy - today

I

los incas - Incas
incluyen - they include
industrial - industrial
la informática - IT
Inglaterra - England
inglés/inglesa - English
el instituto - school
inteligente - intelligent
interesante - interesting
invitar - to invite; to treat
te invito (a) - I'll treat you (to)

ir - to go
ir al (a los) servicio(s) - to go to the toilet
ir al cine - to go to the cinema
ir de compras - to go shopping
Irlanda - Ireland
irlandés/irlandesa - Irish
las Islas Canarias - Canary Islands
Italia - Italy
italiano/a - Italian
izquierdo/a - left

J

el jaguar - jaguar
jamaicano/a - Jamaican
el jamón - ham
Japón - Japan
el jardín - garden
el jersey - jumper
juego con mi ordenador - I play with my computer
el jueves - Thursday
jugar - to play (game/sport)
julio - July
junio - June
junto/a - together

L

el laboratorio de ciencias - science laboratory
al lado de - next to
el lápiz - pencil
largo/a - long
la leche - milk
leer - to read
lento/a - slow
levanta - lift (you, familiar form)
levantaos - stand up (you plural, familiar form)
levántate - stand up (you, familiar form)
levante - lift (you, polite form)
el libro - book

el limón - lemon
la limonada - lemonade
limpio/a - clean
Lisboa - Lisbon
liso/a - straight
luego - then
el lunes - Monday

LL

la llama - llama (animal)
llamarse - to be called
me llamo - my name is
se llama - he/she/it is called
¿cómo te llamas? - what is your name?
llegar - to arrive/get/reach
llegas - you arrive
llego - I arrive
llevar - to wear

M

la madrastra - stepmother
la madre - mother
el maíz - corn
mal - bad
malo/a - bad
mañana - tomorrow
la mañana - morning
la mano - hand
el marido - husband
marrón - brown
el martes - Tuesday
marzo - March
más - more/most
las matemáticas - mathematics
mayo - May
mayor - older
las medias - stockings
melancólico/a - melancholic
el melocotón - peach
el melón - melon
menor - younger
menos - less
...menos cuarto - quarter to...
el menú - menu
la merienda - tea; snack
la mermelada - jam
el mes - month

la mesa - table
mestizo/a - of mixed race
el metro - underground
México - Mexico
el/la mexicano/a - Mexican
mi - my
mi cumpleaños es el -
my birthday is on
el miércoles - Wednesday
mil - thousand
mira - look (you,
familiar form)
mirad - look (you, plural
familiar form)
mirar - to look
mire - look (you, polite
form)
misterioso/a - mysterious
la mitad - half
mixto/a - mixed
la mochila - knapsack
la moda - fashion
a la moda - (to be)
fashionable
de moda - in fashion
moderno/a - modern
el mono - monkey
la montaña - mountain
morado - purple
moreno/a - dark–skinned;
dark-haired/brunette
la moto - motorbike
la muela - tooth
la mujer - wife; woman
la música - music
la música clásica -
classical music
la música marchosa -
dancing music
muy - very
muy bien - very well

N

la nacionalidad - nationality
¿de qué nacionalidad eres?
- what nationality
are you?
nada - nothing
nada más - nothing else
la naranja - orange

la naranjada - orangeade
naranja - orange (colour)
la natación - swimming
necesitar ayuda - to need
help
necesito - I need
negativo/a - negative
negro/a - black
nervioso/a - nervous
ni...ni... - neither...nor...
el nombre - name
el norte - north
las noticias - news
novecientas -
nine hundred
noventa - ninety
noviembre - November
nueve - nine
el número - number; size
¿qué número usas? - what
shoe size do you take?

O

ochenta - eighty
ocho - eight
ochocientas -
eight hundred
octubre - October
el oeste - west
del oeste - Western
oiga - excuse me
(to waiter)
¡ojo! - watch out!
once - eleven
la ópera - opera
el ordenador - computer
los orígenes - origins
otro/a - other
oye - listen; hey

P

el padrastro - stepfather
el padre - father
los padres - parents
el país - country
el pájaro - bird
la palabra - word
el palacio - palace
la paloma - pigeon
los pantalones - trousers
el papel - paper; role

la papelera - bin
Paquistán - Pakistan
paquistaní - Pakistani
¿para usted? - what
would you like?
(polite form)
París - Paris
el parque - park
el partido - game (of
sport)/match
el partido de fútbol -
football game/match
¿qué pasa? - what's going on?
¿qué pasa ahora? -
what's the matter now?
pasar la lista - to call the
register
el pasatiempo - pastime
el pasillo - corridor
el paso básico - basic step
la pata - leg (of animal)
la patata - potato
las patatas fritas - chips
el patio - patio
las patitas de atrás -
small back legs
pela - (you) peel
pelar - to peel
la película - film
la película de ciencia ficción
- science fiction film
la película de intriga - thriller
la película de terror -
horror film
pelirrojo/a - redhaired
el pelo - hair
la pensión - boarding house
pequeño/a - small
la pera - pear
perdón - sorry; excuse me
el perezoso - sloth
perezoso/a - lazy
el periquito - budgie
pero - but
el perro - dog
Perú - Peru
peruano/a - Peruvian
la pesca - fishing
el pescado - fish
la peseta - peseta
el pez - fish
a pie - on foot

el pie - foot
la piel - skin
la pierna - leg
la piña - pineapple
la piscina - swimming pool
el piso - flat
la pizarra - blackboard
la pizzería - pizzeria
la planta - storey/floor
el plátano - banana
la plaza - square
polaco/a - Polish
policíaco/a - police/detective
Polonia - Poland
pon - put/place (you, familiar form)
poner - to put
ponerse - to wear
ponga - put/place (you, polite form)
¿qué me pongo? - what shall I wear?
ponte - wear (you, familar form)
ponte a la moda - be fashionable
por favor - please
por turnos - in turn
¿por qué? - why?
porque - because
positivo/a - positive
el póster - poster
practicar - to play (sport)
practico - I play
practico la natación - I go swimming
práctico/a - practical
preferido/a - favourite
prefiere - he/she/it prefers
prefieres - you prefer
prefiero - I prefer
préstame - lend me/ can I borrow
prestar - to lend
el/la primo/a - cousin
el/la profesor/a - teacher
el programa de actualidad - current affairs programme

el programa de deportes - sports programme
el programa de televisión - TV programme
el programa musical - music programme
el pueblo - town/village
puedo - I can
la puerta - door
el pupitre - desk

Q

¡que aproveche! - enjoy your meal!
¿qué más? - what else?
¿qué hora es? - what time is it?
¿qué pasa? - what's going on?
¿qué pasa ahora? - what's the matter now?
¿qué quieres tomar? - what would you like (to eat/drink)?
¡qué rico! - delicious!
¿qué tal? - how are you?
el queso - cheese
el quetzal - quetzal
¿quién? - who?
quiere - he/she/it needs/wants
¿quieres ir a ...? - would you like to go to...?
quiero - I need/want
quiero tomar... - I would like (to eat/drink)...
quince - fifteen
quinientas - five hundred

R

rapado/a - close-cropped
rápido/a - fast
el ratón - mouse
real - royal
el recipiente - container
regular - to give
el regalo - present/gift
la regla - ruler

regular - so-so
Reino Unido - United Kingdom
la religión - religion; RE
repite - repeat (you, familiar form)
repetid - repeat (you plural, familiar form)
repetir - to repeat
el reptil - reptile
la respuesta - answer
el restaurante - restaurant
los resultados - results
los Reyes Magos - the Three Wise Men
¡qué rico! - delicious!
el río - river
rizado/a - curly/wavy
la rodilla - knee
rojo/a - red
Roma - Rome
romántico/a - romantic
la ropa - clothes
rubio/a - fair/blond
Rusia - Russia

S

el sábado - Saturday
saber - to know
sagrado/a - sacred
la sala de profesores - staff room
salgo con mis amigos - I go out with my friends
salir - to go out
el salón - lounge
sano/a - healthy
el saxofón - saxophone
no sé - I don't know
no sé cómo... - I don't know how...
la sed - thirst
seis - six
seiscientas - six hundred
la semana - week
la Semana Santa - holy week
sensacional - sensational
sentirse mal - to feel unwell

el señor - Mr
la señora - Mrs
la señorita - Miss
septiembre - September
la serie policíaca - police series
serio/a - serious
la serpiente - snake
el/los servicio/s - toilet
sesenta - sixty
setecientas - seven hundred
setenta - seventy
si - if
sí - yes
lo siento - I'm sorry
me siento mal - I don't feel well
siete - seven
¡silencio! - be quiet!; Shut up!
la silla - chair
simpático/a - likeable; nice
sincero/a - sincere
el sitio - place
sobre - on/about
socorro - help
son - they are
son las dos - it is two o'clock
el sótano - cellar
soy - I am
soy yo - it's me
no soy ni...ni... - I'm neither ...nor...
su - his/her/its/their
Sudamérica - South America
sudamericano/a - South American
Suecia - Sweden
el sur - south

T

¿qué tal? - how are you?
la talla - size
¿qué talla tienes? - what size are you?

también - also/as well
tan - so
la tatarabuela - great-great-grandmother
te pones - you wear
el teatro - drama
la telecomedia - TV comedy
la telenovela - soap opera
la televisión - television
temprano - early
tener en común - to have in common
tener mucho apetito - to be very hungry
tengo - I have
tengo hambre - I am hungry
tengo sed - I am thirsty
el tenis - tennis
el tenis de mesa - table tennis
terminar - to finish
la terraza - terrace/balcony
terrible - terrible
el terror - horror
el tiempo libre - leisure time/ spare time
tiene - he/she/it has
¿tienes un animal en casa? - do you have a pet?
tímido/a - timid/afraid; shy
el tío - uncle
la tía - aunt
los tíos - aunt(s) and uncle(s)
tipo de - type of
el título - name/title
tocar - to play
tocar el piano - to play the piano
todo/a/os/as - all
toma - take/here you are (familiar form)
tomar - to take, to eat/drink
¿qué quieres tomar? - what would you like (to eat/drink)?
el tomate - tomato
tome usted - take/here

you are (polite form)
tonto/a - stupid
el toro - bull
la tortilla española - Spanish omelette
la tortuga - tortoise
en total - in total
trabajar - to work
los trabajos manuales - handicrafts
traen - they bring
el tráfico - traffic
el traje - costume
tranquilo/a - quiet/peaceful
trece - thirteen
treinta - thirty
treinta y cinco - thirty-five
el tren - train
tres - three
trescientas - three hundred
triste - sad
tu - your
tú - you
el tucán - toucan
el/la turista - tourist
TV vía satélite - satellite TV
TV por cable - cable TV

U

un/una - a/an
el uniforme - uniform
uno - one
útil - useful
las uvas - grapes

V

la vaca - cow
vámonos - let's go
vamos - we go
van - they go
los vaqueros - jeans
¡vaya! - well!; you don't say!
a veces - sometimes
vegetariano/a - vegetarian
veinte - twenty
veinticinco - twenty-five
la vela - sailing

ven - come (you, familiar form)
venga - come (you, polite form)
la ventana - window
ver - to watch/look at/ see
la verbena - open air dance/ street party
verde - green
el vestido - dress
el viaje - journey
vibrante - vibrant/lively
el vídeo - video
el videojuego - video game
viejo/a - old
el viernes - Friday
hasta la vista - goodbye
vives - you live
vivir - to live
vivo - I live
vivo en... - I live in...
el voleibol - volleyball
voy - I go
voy a pie - I go on foot
voy en bicicleta - I cycle
voy a casa - I'm going home

W

el windsurf - windsurfing

Y

y - and
...y cuarto - quarter past...
ya - already
ya no hay - there isn't/ aren't any left

Z

el zapato - shoe

Las instrucciones

Busca... - Look for...
¿Cierto o falso? - True or false?
Completa la ficha - Fill in the form
Completa las frases - Complete the sentences/phrases
¿Cómo es...? - What is ... like?
¿Cómo reacciona tu pareja a...? - How does your partner react to...?
¿Cómo se escribe tu nombre? - How do you write/spell your name?
Compara...con... - Compare... with...
Contesta estas preguntas - Answer the questions
¿Cuál es...? - Which is...?
Describe ... - Describe ...
Dibuja... - Draw...
Elige las frases apropiadas - Choose the appropriate sentences/phrases
Empareja ... con... - Match ... with ...
Encuesta - Survey
Escribe las frases en el orden correcto... - Write the sentences in the correct order
Escucha la cinta - Listen to the tape
Haz el papel de ... - Play the role of ...
Imagina que eres una persona famosa - Imagine you are a famous person
Juega el juego con tu pareja - Play the game with your partner
Lee la tira cómica - Read the cartoon strip
Mira los dibujos - Look at the drawings
Pregunta a tu pareja - Ask your partner
Prepara un póster - Prepare a poster
¿Qué es...? - What is...?
¿Qué hay en las fotos? - What can you see in the photos?
¿Qué opinas de...? - What is your opinion on....?
Trabaja con tu pareja - Work with your partner
Trabaja en grupo - Work in groups

Vocabulario inglés – español

This short list of important words and phrases will help you with writing activities. You will find it useful when writing letters and postcards.

a - un/una
in the afternoon - por la tarde
afterwards - después
all - todo/a, todos/as
I am - soy/estoy
animal - el animal/ los animales
we are - somos/estamos
they are - son/están
you are - eres/estás
how are you? - ¿qué tal?
attractive - guapo/a, guapos/as
my aunt - mi tía

bad - malo/a, malos/as
bathroom - el cuarto de baño
because - porque
bedroom - el dormitorio
behind - atrás
big - grande/grandes
by bike - en bicicleta
my birthday - mi cumpleaños
black - negro/a, negros/as
blond hair - el pelo rubio
blue - azul/azules
boots - las botas
it's boring - es aburrido/a
boy - el chico
breakfast - el desayuno
brother - el hermano
brown - marrón/ marrones
I go by bus - voy en autobús
but - pero

I am called - me llamo
he/she is called - se llama
what is your name? - ¿cómo te llamas?
what is his/her name? - ¿cómo se llama?
by car - en coche
I have a cat - tengo un gato
I can't - no puedo
in the centre - en el centro
only child - el/la hijo/a único/a
I go to the cinema - voy al cine
in the city - en la ciudad
classroom - el aula
clothes - la ropa
I play computer games - juego con mi ordenador
in the country - en el campo
my cousin - mi primo/a
curly hair - el pelo rizado

I like to dance - me gusta bailar
I am dark - soy moreno/a
dark hair - el pelo moreno
dark skin - la piel morena
daughter - la hija
dear John/Mary - querido John/querido Mary
delicious! - ¡qué rico!
it's difficult - es difícil
dinner - la cena
dining room - el comedor
disco - la discoteca
I do my homework - hago los deberes
I do sports - hago/practico deportes
do you have? - ¿tienes?
do you want? - ¿quieres?
do you want to go? - ¿quieres ir?
do you want to play tennis? - ¿quieres jugar al tenis?
I have a dog - tengo un perro
I don't do anything - no hago nada
dress - el vestido

in the east - en el este
it's easy - es fácil
I eat - tomo/como
I am English - Soy inglés/ inglesa
I live in England - vivo en Inglaterra
in the evening - por la tarde
this evening - esta tarde
I have brown eyes - tengo los ojos castaños

farm - la granja
it's fashionable - está de moda
fat - gordo/a, gordos/as
my father - mi padre
favourite - preferido/a, favorito/a
flat - el piso
on the first floor - en el primer piso
friend - el/la amigo/a
in front of - delante de
food - la comida
on foot - a pie
for me - para mí
it's fun - es divertido

game - el juego
garden - el jardín
girl - la chica
I go - voy
we go - vamos
to go - ir
to go out with friends - salir con amigos
I go out - salgo
good - bueno/a, buenos/as
ground floor - la planta baja
my grandfather - mi abuelo
my grandmother - mi abuela
my grandparents - mis abuelos
green - verde/verdes
gym - el gimnasio

brown hair - el pelo castaño
hat - el sombrero/ el gorro
I have - tengo
I don't have - no tengo
do you have? - ¿tienes?
I haven't a - no tengo un/a
his/her - su(s)
at home - en casa
horse - el caballo
I go horse riding - monto a caballo
house - la casa
how? - ¿cómo?
how are you? - ¿qué tal?
how many ...? - ¿cuántos?
how much ...? - ¿cuánto?
how much is it? - ¿cuánto cuesta(n)?
how old are you? - ¿cuántos años tienes?
how old is he/she? - ¿cuántos años tiene?
how old are they? - ¿cuántos años tienen?
her husband - su marido

I'm ill - me siento mal
in - en
he/she is intelligent - es inteligente
it's interesting - es interesante
he/she/it is - es

jacket - la chaqueta
jeans - los vaqueros
jumper - el jersey
I don't know - no sé
kitchen - la cocina

on the left - a la izquierda
letter - la carta
I like - me gusta(n)
I don't like - no me gusta(n)
I would like - me gustaría
I like to listen to music - me gusta escuchar música
do you like? - ¿te gusta(n)?
I listen to - escucho
I live in - vivo en
living room - el salón
long - largo/a, largos/as
a lot - mucho/a, muchos/as
love from - saludos/un abrazo
lunch - la comida
I have lunch - como

man - el hombre
we meet - nos encontramos
I am of mixed race - soy mestizo/a
money - el dinero
more - más
morning - la mañana
my mother - mi madre
by motorbike - en moto
much - mucho
music - la música
Mr - el señor/don
Mrs - la señora/doña
Miss - la señorita
my - mi(s)

near the sea - cerca del mar
my name - mi nombre
next to - al lado de
he/she is nice - es simpático/a
good night - buenas noches
in the north - en el norte

old - viejo/a, viejos/as
I am 12 years old - tengo 12 años
opposite - enfrente
or - o

my parents - mis padres
pet - un animal en casa
to play - jugar/tocar
I play football - juego al fútbol
I play the piano - toco el piano
we play - jugamos
please - por favor

plus - más
postcard - una tarjeta postal
I prefer - prefiero
I put on - me pongo
what do you put on? - ¿qué te pones?

quite - bastante

rabbit - el conejo
to read - leer
I read - leo
I am a redhead - soy pelirrojo/a
to the right - a la derecha

sea - el mar
see you later - hasta luego
see you soon - hasta pronto
see you tomorrow - hasta mañana
school - el colegio/el instituto
shirt - la camisa
shoes - los zapatos
short - bajo/a, bajos/as
to go shopping - ir de compras
he/she sings - canta
singer - el/la cantante
my sister - mi hermana
my size - mi talla
what is your size? - ¿qué talla tienes?
what is your shoe size? - ¿qué número usas?
skirt - la falda
slim - delgado/a, delgados/as
small - pequeño/a, pequeños/as
socks - los calcetines
son - el hijo
I'm sorry - lo siento
in the south - en el sur
sport - el deporte
sports centre - el polideportivo
my stepbrother - mi hermanastro
my stepfather - mi padrastro
my stepmother - mi madrastra
my stepsister - mi hermanastra
I have stomach–ache - me duele el estómago
strong - fuerte/fuertes
straight hair - el pelo liso
school subject - la asignatura
in the suburbs of - en las afueras de
swimming - la natación
I go swimming - practico la natación

tall - alto/a, altos/as
thank you - gracias
many thanks - muchas gracias
that - ese/esa
the - el/la/los/las
there is/are - hay
is/are there - ¿hay?
these - estos/estas
I'm thirsty - tengo sed
at what time - ¿a qué hora?
timetable - el horario
this one - éste/ésta
those - esos/esas
to - a
to the - a la
town - el pueblo
trainers - las zapatillas deportivas
trousers - los pantalones
T-shirt - una camiseta
what type? - ¿qué tipo?

ugly - feo/a, feos/feas
by underground - en metro
useful - útil/útiles

very - muy
view - la vista
village - el pueblo
to visit - visitar

I wear - llevo
what shall I wear? - ¿qué me pongo?
what do you wear? - ¿qué te pones?
weekend - el fin de semana
in the west - en el oeste
what do you like to do? - ¿qué te gusta hacer?
when? - ¿cuándo?
where? - ¿dónde?
where do you live? - ¿dónde vives?
which? - cuál/cuáles
white - blanco/a, blancos/as
whose? - ¿de quién?
why? - ¿por qué?
his wife - su mujer
with - con
to go to work - ir a trabajar

young - joven/jóvenes
young person/teenager - el joven
your - tu(s)

Acknowledgements

The authors and publishers would like to thank Chris Barker, Annamaria Ferro, Jacqueline Jenkins, Kathryn Tate, Rachel Aucott, Olga Paniagua, the pupils of the Instituto 'Alarnes' (Getafe, Madrid), Heinemann Iberia, Marta Giddings, Julie Green, Aleks Kolkowski, Estrella Borrego del Castillo and her young Spanish friends for their help in the making of this course.

The authors and publishers would like to thank the following for permission to reproduce copyright material: **El Consorcio Regional de Transportes de Madrid** p.36, **Teleplus** (no.396) p.62, **Infosatel** (no.7) p.63, **Acción** (no.28) p.72, **Todosport** (no.38) p.57, **Sabeca** (Kasfruit) p.88, **Fantastic Magazine** (no.28) p.69.

Photographs were provided by **Image Bank** p.14, **Allsport - Mike Powell** p.15 (top photo), **All Action-Jean Cummings** p.15 (bottom photo), **Paul Bryans** p.16, **Kobal Collection** p.23 (4A,4B,4C,4D) and p.39, **MGP** p.34 and p.35, **Camera Press** p.38 (top left and bottom right), **Hulton Deutsch** p.38 (top right, middle left and middle), **J. Allan Cash** p.48, **Spectrum Colour Library** p.48 (top right) and p.106, **Allsport** p.56 (top left), **Action-Plus** p.56 (bottom right and bottom left), **Colorsport** p.56 (top right), **Chris Coggins** p.59 (bottom left). All other photographs are by **Chris Ridgers** and Heinemann Educational Publishers.